YO, YO MISMA Y MÍ MISMA

Un Tris de Mi Vida

Este libro está dedicado, con el AMOR más grande, puro y perfecto que he sentido en mi corazón, a lo más grande, bueno, bello y perfecto que tengo...
Mi Vida:
Ciccio-Max (BB) y Tete-Haniel (Cotita), mis hacedores de MILAGROS. .•°*☆

¡Gracias! ¡Gracias! ¡Gracias!

A Dios, a La Fuente, a La Fuerza, a la Divinidad... a mi *Yo Soy*, que Yo Soy.

A Familia, por TANTO, por todo.

A Mi Mami en El Cielo, por enseñarme a leer tan pequeñita, a amar los libros y, en consecuencia, a perderme y encontrarme en ellos.

A mis autores favoritos, mis *Bestest*, que se cruzaron en mi camino para iluminarme, cambiarme y acompañarme.

A los pocos que supieron y desde lejos me enviaron buenas vibras. Los recuerdo a cada uno y los llevo en mi corazón.

A quienes me dijeron: "¡Tienes que escribir el libro!". Y me metieron esta idea en la cabeza.

A Yajaira, por recordarme como me encanta jugar el juego más divertido: "El juego del Lenguaje".

A Massimiliano, porque es el único que entiende mi "micromanaging" y, como él la llama, mi vista de Rayos X.

¡Dios los bendiga abundantemente!

¡Aloha!

Alguien me dijo una vez: "A ti no te impresiona nada de lo que haga nadie, ni el dinero que tengan, ni los avances tecnológicos, ni los logros, ni las cosas, ni la fama..."

Y yo le respondí: "¿Todo eso los hace inmortales? ¿No? Entonces, ¿por qué me va a impresionar? Lo natural es que el ser humano logre lo que sea que quiera lograr, cuando de verdad lo quiera lograr".

Tiempo después, pensando en la inmortalidad, me dije a mí misma: *"Mí Misma, la única forma de ser inmortal en 'esta' vida y de que, de alguna forma, te quedes para siempre en ella, es que compartas lo que sabes o más bien, lo que crees que sabes... ¡Ya escribe tu primer libro!"*.

Así que aquí está Yo, Yo Misma y Mí Misma. Un Tris de Mi Vida. Donde comparto precisamente eso, un pedacito de mi vida, lleno de un poco de lo que creo saber y, además de historias, drama, magia, amor, milagros, UN MILAGRO. Está escrito con toda la buena energía y con el deseo de que al leerlo te conectes con ese lugar de paz, de Dios, dentro de ti, donde nada es imposible, y que todo lo que desees desde tu corazón, lo hagas posible.

Te dejo con Ángeles...

– Alessandra.

YO, YO MISMA Y MÍ MISMA

Un Tris de Mi Vida

ALESSANDRA CAVALIERE

MI HISTORIA

"Cuando corro tras lo que creo que quiero, mis días son un horno de angustia y ansiedad; si me siento en mi propio lugar de paciencia, lo que necesito fluye hacia mí y sin ningún dolor. De esto entiendo que lo que quiero también me quiere, me está buscando y me atrae; cuando no me puede atraer más para ir a ello, tiene que venir a mí. Hay un gran secreto en esto para cualquiera que lo puede captar".

– Rumi.

Por fin el momento que hemos estado esperando. Estoy aquí. ¿Siento miedo? Ya ni sé. No veo a mi doctora. ¿Dónde está?

Así es como iba a contar esta historia, hablando únicamente de lo que viví en un momento de mi vida. Pero me sonó un poco trágico y esa no es la forma en que escribo, no es la forma en que hablo, no es la forma en que veo la vida, y mucho menos es la forma en que soy.

Para mí, la vida no es una tragedia. La vida es la vida.

Ciertamente he tenido y sigo teniendo muchos momentos de «drama», pero en todos y cada uno de ellos, al final he encontrado la manera de reírme de la situación, algunas veces a carcajadas. Hasta que se me salen las lágrimas de la risa y me siento agradecida.

Entonces, como dije, para mí la vida no es una tragedia, es la vida, y creo que solo estamos aquí para experimentarla, para vivirla.

Lo hacemos lo mejor que podemos con la comprensión, la información y el conocimiento que tenemos, y especialmente la vivimos con la disposición de poner en práctica ese conocimiento... o no.

Yo pienso que todo se trata de lo tercos que

seamos a la hora de aplicar lo que aprendemos, ese conocimiento que adquirimos: de creer en él, confiar en él, hasta que se vuelva real. Hasta que sea un hábito. Hasta que hagamos un milagro.

1

"Está en donde estés; de lo contrario,
te perderás tu vida".

- Buda.

Yo soy de PequeñaVenezia. Padre italiano, madre de PequeñaVenezia. La única niña de cinco hermanos y la menor, La Consentida.

Crecí en una doble cultura, con una madre muy inteligente, cariñosa, consentidora, de carácter, muy educada, generosa, creyente, que amaba enseñar, leer, educar. Creativa, innovadora, amante de las Ciencias Sociales y el Castellano, que escribía con letra de ángeles y valiente, hasta ser capaz de pararse en la puerta del colegio donde enseñaba y plantárseles de frente a unos guerrilleros armados que querían llevarse a sus alumnos y decirles: "Para llevárselos, van a tener que matarme". Una mujer que escondió perseguidos por la dictadura de PJ en su casa y fue una luchadora activa por la democracia de PequeñaVenezia. Una guerrera en su juventud. Defensora de los pobres, de verdad. Con una mentalidad bastante abierta, muy compasiva y, un padre sobreprotector, de carácter fuerte, con una personalidad muy compleja. Inteligente, cariñoso y espléndido. Un hombre de fe inquebrantable, con una fortaleza física envidiable. Un atleta nato, que sabía, por instinto, muchísimo sobre medicina natural, que sobrevivió a la Segunda Guerra Mundial, y tuvo varios milagros sorprendentes en su vida.

Fui criada bajo la religión católica en PequeñaVenezia y asistí a escuelas católicas hasta la secundaria, pero sabía mucho sobre otras religiones, creencias y corrientes de pensamiento.

Alguna vez, oí a Mamá decir que Papá había sido masón por un tiempo y que quemó todos sus libros cuando se mudaron a Italia, para el momento en que solo habían nacido tres de mis hermanos. Sin embargo, él era mayormente católico. Iba a misa, amaba a Dios, a Jesús, y tenía fe ciega en la Virgen de Pompeya.

Aprendí sobre Jesús en la escuela y por Mamá y Abuela materna. En casa, me animaron a aceptar, respetar y amar a todos los seres humanos, sin importar su religión, raza, estatus social o inclinación sexual.

Recuerdo que cuando era muy pequeñita, escuché a mis padres decir que mi madrina, que era húngara, era también judía, y yo no entendía cómo podía ser judía y ser mi madrina en la religión católica. Pero más tarde supe que su madre era judía convertida al catolicismo, que su padre era judío y que le habían permitido a ella y a su hermana tomar la decisión sobre qué religión querían seguir. Ella se decidió por la católica y su hermana se inclinó por el judaísmo.

Entonces, para mí era normal estar rodeada de diferentes culturas y religiones; hasta tenía una prima que se había casado con un hindú y trate de aprender sobre su religión y cultura. Y siempre le preguntaba todo a Mamá, porque ella sabía de todo; ella era mi "Google".

También tuve, desde muy pequeña, una fascinación por la cultura de La Polinesia y la forma pacífica en que vivían sus habitantes. Veía programas de televisión y películas de esas islas, que me parecían el paraíso. Algo de ellas me atraía, me llamaba. Algo allí se sentía como mi casa, y no podía explicarlo. Curiosamente, en primaria, "por casualidad", me tocó hacer una exposición sobre Oceanía e incluso, más tarde, en la universidad participé en un simposio sobre Samoa y toda su cultura, costumbres, forma de vida, etc. Siempre esa parte del mundo me halaba de alguna forma y la sentía natural. Sentía que la manera polinesia de vivir, ese *espíritu de aloha* era lo adecuado para mí.

Sin embargo, más que nada, yo amaba a Jesús, su corazón puro. Todo en él me fascinaba y, en secreto (porque reconocerlo habría sido un descrédito total) disfrutaba cuando leíamos la Biblia en el colegio y hablábamos de las historias de Él. Aunque sentía que faltaba algo en lo que me enseñaban. Algo que mis maestros no me decían o simplemente no sabían.

En realidad, de pequeña yo me veía a mí misma como una *brujita*. Mi intuición era demasiado precisa. Y aunque era mayormente una buena niña, cuando hacía algo que pensaba que no estaba bien, podía ver en mi mente todas las consecuencias de mis acciones.

Por ejemplo, cuando tenía como 9 años, tenía una mejor amiga CaM. Ella era una muy linda persona y también mi vecina, lo que era perfecto. Un sábado, otra vecina me invitó a jugar en su casa y estando con ella, CaM me llamó y me dijo que fuéramos al cine, lo que solíamos hacer a menudo. Quería ir, pero no sabía cómo decirle a mi vecina que la iba a dejar sola; sentí pena por ella. Así que le dije a mi mejor amiga que no podía ir.

A la hora del almuerzo, me fui a mi casa, pero habíamos quedado en que seguiríamos jugando. Yo estaba sentada en la mesa almorzando, cuando comencé a pensar algo como: "No vas a ir al cine por no dejar sola a tu vecina, y ella no se lo merece. CaM la va a invitar al cine para probarte el punto, y ella va a decir que sí, y te vas a quedar aquí sola. Debes elegir mejor por quién sientes pena". Y todo sucedió exactamente como lo pensé. Cada detalle que imaginé fue idéntico: CaM llamó a mi vecina para invitarla al cine y mi vecina le dijo que sí.

Ese tipo de cosas siempre me pasaban. Ahora sé más. Y es cuando entiendo la razón por la que me sucedían, aunque siempre Mamá solía decir: "¡Es que eres una *Brujita*!".

También, si pensaba en alguien o tenía un fuerte deseo de ver a alguna persona, sentía que vendría y ocurría. Aún tengo sueños en los que una voz me dice que algo va a suceder, y sucede.

Estoy abrumada y, al mismo tiempo, estoy en paz. Confío. Hablo con Dios, con Mis Ángeles. Me entrego y espero Mi Milagro.

"Solo hay dos maneras de vivir tu vida. Una es como si nada fuese un milagro. La otra es como si todo fuese un milagro".

- Albert Einstein.

Cuando yo tenía 13 años, Mamá fue diagnosticada con un quiste en los ovarios. Ahora sé cuán aterrorizada debió haber estado en ese momento, pensando en sus hijos, y especialmente en mí que era tan pequeña. Los médicos le dijeron que tenía que realizarse una cirugía para extirparlo, pero ella no accedió. En cambio, buscó ayuda en una amiga suya, quien le recomendó a la Sra. Exp. Esta señora, que había estudiado en India, la trató con medicina natural y oraciones y ¡el quiste desapareció! La Sra. Exp se hizo muy cercana a nuestra familia y una muy buena amiga de Mamá. Yo aprendí muchísimo a su lado. Solía decirme que yo la reemplazaría cuando ella cambiara de plano, pero en ese tiempo yo pensaba: "La Sra. Exp está loca de remate si piensa que yo voy a hacer eso".

Lo que vivió Mamá fue mi primer contacto cercano a una curación, a un milagro. Ya conocía una historia sobre Papá cuando estaba en un campo de concentración como prisionero de guerra en Japón, durante la Segunda Guerra Mundial.

Papá estaba haciendo el servicio militar en la marina italiana y su barco estaba anclado en el puerto de Shanghái en el momento en que Japón invadió China, y aunque era italiano, él y varios de sus compañeros no quisieron firmar el acuerdo de guerra de Mussolini y por eso, en vez de liberarlos para que volvieran a sus casas, que es lo que solía hacerse en ese momento, los dejaron presos junto a los americanos en Okinawa.

En ese lugar, muchas noches los aviones del bando contrario sobrevolaban el campo de concentración y todos los prisioneros y oficiales japoneses tenían que correr rápidamente a los refugios para protegerse. Sin embargo, varias veces, cuando tocaban la sirena no venía ningún avión y se despertaban por nada. Literalmente, por una falsa alarma. Esto pasaba con frecuencia, y Papá y otros estaban hartos de despertarse en la noche sin razón y correr a los refugios; por eso, cuando escuchaban la alarma, se quedaban en las celdas.

En ese entonces, los médicos iban a los campos de concentración cada cierto tiempo a detectar enfermedades y, en una ocasión, al examinar a Papá, dijeron que era portador de tifo y se lo llevaron a un hospital en otra ciudad, para ponerlo en cuarentena.

En el hospital, al examinarlo nuevamente, se dieron cuenta de que no era portador de nada, estaba sano, pero tuvo que pernoctar allí. Esa misma noche, en su campo, tocaron la alarma para correr a los refugios y protegerse de los bombardeos. Sin embargo, esa vez sí llegaron los aviones, y los que se quedaron en las celdas murieron. Papá habría sido uno de ellos. Tengo fotos de ese momento, con él en su bata de hospital. Él decía que la Virgen de Pompeya y las oraciones de su madre lo habían protegido.

Así que yo crecí creyendo que no había coincidencias, sino milagros y aún hoy, ese es *Mi Convencimiento*:

YO CREO ♡

Dos anestesiólogas increíbles me dieron algunas drogas. Dos damas comiquísimas, supersimpáticas y llenas de buenas vibras. Me hicieron reír mucho y relajarme. "No te preocupes y disfruta las drogas", me dijeron.

Me despedí de Familia. De Esposo y de Mi Vida: ¡Hijo&Hija son Mi Vida! Los amo tanto que quería estar bien para ellos.

Y en ese momento, me pregunté a mí misma: *"Mí Misma, en serio, ¿qué haces aquí? ¿para qué todo esto?".*

La verdad es que yo ya sabía las respuestas.

3

"Es durante nuestros momentos más oscuros que debemos enfocarnos en ver la luz".

- Aristóteles.

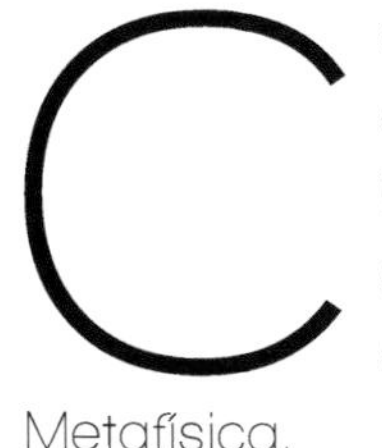ada vez que ha sucedido algo "malo" en mi vida, sé que *Yo, Yo Misma y Mí Misma* lo he creado. Es un hecho del que he tenido consciencia desde que tuve mi primer contacto con la Metafísica.

Esto sucedió una noche cuando estaba empezando la universidad. Iba a cumplir 18 años y Mamá quería que tuviera un dormitorio de "señorita grande". Así que debían cambiar toda la decoración, el papel tapiz, las cortinas, etc., y yo no iba a poder dormir en mi habitación hasta que el trabajo estuviese terminado. Entonces me pasé a otra que solía ser de dos de mis hermanos; pero como ellos se habían casado y mudado (en mi país no te mudabas de la casa de tus padres a menos que te casaras, y a veces te alentaban a quedarte después) era la habitación de huéspedes.

Estaba allí y no podía dormir. Cuando eso sucedía, generalmente me ponía a leer un libro (los programas de televisión terminaban a las 2:00 de la mañana y no había cable, ni Netflix, ni Hulu, ni Amazon Prime. No sé cómo sobrevivíamos jajaja), pero mis libros estaban en cajas en el piso de abajo, debido a la renovación de mi habitación. Entonces comencé a buscar y encontré uno. Era un libro muy especial. ¡Me pareció increíble! Decía que había sido escrito durante la guerra, bajo un autor anónimo, y que se había publicado más tarde. Este libro fue mi ¡lo sabía!

Me explicaba muchas cosas directamente, como

si fuese Dios quien me hablaba. Lo leí en una noche y me quedé dormida.

El libro me confirmó lo que siempre había sentido en mi corazón. Que Dios no era ni jamás había sido un castigador, que me amaba incondicionalmente. Me decía que todos éramos Uno con Dios y me abrió la mente al hecho de que yo no era una plumita movida por el viento de un lugar a otro, sino que tenía el poder de crear mi realidad, mis experiencias, mi vida, a través de mis pensamientos y mis creencias. También hablaba del "Yo Soy", haciendo hincapié en que Dios estaba dentro de mí, dentro de todos, pensando y creando lo que nos rodea. Y me hizo entender algo así como que Dios era "un cuerpo" y que toda Su Creación conformaba las células de ese cuerpo... todas importantes, todas increíblemente creativas como Él Mismo.

Aunque yo solo tenía 17 años y estos son conceptos que aún hoy en día a muchos les cuesta entender — sobre todo de este lado del mundo, porque del otro lado ya Bhagavan Shri Krishna había hablado de eso, en el Bhagavad Gita — a mí me resultaron naturales. Todo me pareció sumamente coherente, lógico, claro, diáfano. No hubo guerras, discusiones, dudas, ni preguntas dentro de mí. Todo me dio paz, nada me estresó. Era como cuando un amigo te recuerda algo que vivieron juntos y tú dices: "¡Claro, ya me acuerdo!" Todo tenía sentido para mí.

Esa noche me cambió de varias maneras, porque

entonces sabía cosas que nadie de mi edad sabía y de las que mucho menos se hablaba.

Al día siguiente, me desperté tarde, apurada, y me fui a la universidad sintiéndome especial. ¡Algo espectacular me había sucedido!

No recuerdo exactamente cómo fue ese día, solo que quería volver a mi casa y leer ese libro otra vez. Entonces, me apresuré a llegar; fui a la habitación, pero el libro ya no estaba. Miré por todas partes. Le pregunté a la señora de la limpieza si lo había visto y me dijo que no. Nunca más volví a ver ese libro, lo que me hizo pensar que tal vez no había leído nada, que tal vez había sido un sueño. Me sentí muy extraña.

Sin embargo, cada vez que tenía "un problema", hacía una *Cayena* que recordaba del libro y, literalmente, "lo malo" que temía que pudiera pasar, "mágicamente" no se manifestaba.

Un tiempo después, la Sra. Exp me comentó que había encontrado un maestro de Metafísica y que quería que lo conociera. En realidad, no me gustó para nada esa persona, principalmente porque me dijo que debía terminar con mi novio, porque él no era espiritualmente avanzado como yo, y había alguien más adecuado para mí. Pero, de cualquier forma, ese maestro me dio los primeros libros de Metafísica/Nuevo Pensamiento que estudié formalmente.

Inmediatamente supe que había encontrado todas las respuestas a preguntas que ni me había dado cuenta de que me hacía y que estaban muy,

muy dentro de mí, desde pequeña. Pero en aquel momento, estaba demasiado distraída viviendo mi edad y todo el •drama• a mi alrededor, para "perder el tiempo" practicando con seriedad lo que aprendía. Durante esa época, estaban sucediendo muchas cosas que me movían el piso y yo me había perdido en alguna parte dentro de mí. Había dejado de ser yo.

Mientras estaba aprendiendo todas mis *Cayenas* (por supuesto, no compartía lo que aprendía con nadie, porque en esa época mis amigos habrían pensado que estaba loca), mi vida continuó.

Estaba triste. Me sentía muy rara. Como si no me quedara nada más por hacer en la vida. Me encontraba en un lugar en el que, muy dentro de mí, no quería estar, viviendo un cambio para el que no estaba preparada. Entre dos países: uno en el que aún no me asentaba; el otro, en el que tenía una vida que amaba y disfrutaba, pero al que ahora no podía volver. Mi nueva vida estaba aquí.

4

"Cuida el presente porque en él vivirás
el resto de tu vida".

- Facundo Cabral.

A Papá no le gustaba mi novio, •drama• •drama• •drama•. Me casé a los 20, •drama• •drama• •drama•.

Tuve a Hijo a los 22, •drama• •felicidad• y un ángel, bueno, ¡2!

5

"Los ángeles iluminan el camino, de modo que toda la oscuridad se desvanece, y tú estás parado en una luz tan brillante y clara que puedes entender todas las cosas que ves".

- UCDM.

Una noche, cuando estaba embarazada de Hijo y acababa de ir al baño por "chorrocienta" vez, mientras estaba tratando de ponerme cómoda en las almohadas con mi enorme barriga, sucedió algo.

Estaba medio sentada, medio acostada en mi cama y a mi izquierda estaba la puerta que daba a la sala de estar. Frente a mí había un clóset con puertas de espejos. A mi derecha, estaba la puerta que daba al baño. De repente, vi a una "criatura" con un vestido blanco, que flotaba. Tenía el cabello largo y rubio plateado. Llegó al dormitorio desde la puerta izquierda muy lentamente. La vi y ella me vio. No podría describir su rostro, solo decir que era increíblemente hermosa. Luego salió por la puerta de la derecha. En ese momento, me dije a mí misma: *"Mí Misma, esto no está sucediendo. Estás "demasiado embarazada". ¡Es tu imaginación!".*

Ella se asomó por la puerta, me miró, sonrió y volvió a esconderse. Tuve la sensación más bella y cálida que había tenido hasta entonces. Su sonrisa la sentí como una amorosa bendición.

Al día siguiente, le consultamos a Sra. Exp, y ella dijo que era Mi Ángel y que solo nos estaba cuidando a Hijo y a mí. Me quedé en "shock" y, por supuesto, como me había pasado toda mi vida cuando veo/siento/experimento/vivo algo nuevo, tuve que investigar/buscar/aprender/entender todo lo que pude sobre eso y terminé leyendo sobre Angelología, y muchas "coincidencias" pusieron información en mis manos.

Alrededor de 13 años después, el 24 de diciembre por la tarde, Esposo y yo estábamos literalmente corriendo en un centro comercial. Habíamos comprado una computadora para Hijo de regalo de Navidad e íbamos a encontrarnos con la persona que la vendió y la iba a configurar. Entonces, pasando por la vitrina de una tienda, la vi: ¡Mi Ángel! No podía pararme a comprarla porque estábamos muy apurados y cuando volví después de Navidad, ya no estaba.

Sin embargo, mi relación con Mi Ángel no terminó allí. Alrededor de 5 años después, una chica, una pariente que no conocía hasta ese momento, vino a quedarse con nosotros para las vacaciones, también de Navidad. Ella había traído regalos para los cuatro, y cuando me estaba dando el mío, me dijo que pensaba traerme otra cosa, pero que había sentido que "ese regalo" sería más adecuado para mí. Cuando lo abrí, me di cuenta de que eran unas Cartas de Ángeles, y al sacarlas de la caja, la primera carta que saltó fue Mi Ángel, quien, desde entonces, ha estado con nosotros haciendo milagros increíbles. Siempre recordándome que está conmigo... como ocurrió antes de mudarnos a NorthCountry.

Después de entregar nuestro apartamento, nos quedamos un tiempo en la casa de Mis Padres, mi casa de siempre. Hijo iba a ir a la playa, como despedida, porque ya se mudaba definitivamente a NorthCountry y habían llegado a buscarlo en un carro que estaba esperándolo afuera. Pero él no salió de inmediato porque no encontraba sus cholas de playa.

Mientras las buscaba, robaron el carro y secuestraron a las personas que estaban en él, justo frente a la casa. ¡A Hijo también lo habrían secuestrado si hubiese encontrado sus cholas a tiempo! Luego nos dimos cuenta de que estaban a la vista, pero que él no las había podido ver.

Ese fue un momento aterrorizante. Una de las personas que se llevaron fue a mi sobrino y yo, desesperada, me quedé asomada en la ventana, gritando a los secuestradores, hasta que, literalmente, no tuve más voz. Uno de ellos me apuntó con un arma. Recuerdo que lo miré a los ojos y bajó el arma y se fue en otro carro donde tenían a mi sobrino y a una chica. Sentí un dolor inexplicable en mis entrañas cuando se lo llevaron. Envié Ángeles para cuidarlos y me senté con Hija a hacer mis *Cayenas* y regresaron sanos y salvos.

Después de que esto sucedió, quedamos traumatizados, y cada vez que salíamos o entrábamos a la casa, teníamos mucho cuidado.

Alrededor de tres días después, Hija y yo nos íbamos a trabajar, y mis Cartas de Ángeles estaban en mi cama. Hijo se quedó allí con las cartas. Regresamos alrededor de las 8:30 de la noche y estacionamos la camioneta en la calle, afuera del garaje. Mamá estaba sentada al final de las escaleras de afuera con una prima que estaba de visita y nos vieron salir de la camioneta. Cuando me acerqué a ellas, me dijeron que habían visto a una chica rubia saliendo por la puerta trasera del carro. Mamá pensó que era Van, la maestra de baile de Hija, y yo sin pensar le dije: "No, seguro viste a Mi Ángel".

Cuando entré y le conté a Hijo lo que Mamá había visto, me dijo: "Mamá, no vas a creer esto, pero cuando se iban esta tarde, abrí las cartas, la de Tu Ángel saltó y le dije: "Vete con ellas".

También, hace unos años, tuve un sueño en el que alguien me decía que Hijo había muerto en un accidente automovilístico. Se lo conté a Esposo y él me dijo que no me preocupara, que era solo un sueño. Yo, por supuesto, hice mis *Cayenas* y le pedí a Mi Ángel que manejara el carro de Hijo. Más tarde, él llamó diciendo que había tenido un accidente. Una mujer no se había detenido en una señal y cuando Hijo la vio venir tan rápido, aceleró para evitar el choque, pero aun así golpeó la parte trasera de la SUV, que dio vueltas como trompo. Aunque fue pérdida total del vehículo, milagrosamente, todos estaban bien. Las cuatro ruedas inexplicablemente perfectas.

Hijo, desde que presenció un accidente en la autopista ocasionado por el estallido de una rueda, tiene la costumbre de poner un ángel en cada una.

Entonces, tomé la decisión de darme algo de felicidad en medio de todos esos cambios difíciles que estaba viviendo. Decidí visitar a mi mejor amiga/ahijada/casi hija/hermana del alma, SSY en FreezerCountry.

6

"La coincidencia es el lenguaje de las estrellas. Para que algo suceda, se deben poner en acción muchas fuerzas".

- Paulo Coelho.

Una de las "coincidencias" más extraordinarias de mi vida fue la forma en que SSY y yo nos conocimos.

Por esas vueltas de la vida, terminé dando clases y me enamoré de ello. Tenía un estudio en casa de Mis Padres, lo que era relajadísimo y divertido, porque trabajaba unas pocas horas a la semana dando clases, como traductora cuando quería (yo estudié traducción) y, lo mejor, ¡me permitía estar cerca de Hijo!

Un día una mamá vino a inscribir a sus hijos en mis clases: un niño y una niña. Vino en la mañana ella sola, recomendada por otra de mis madres regulares. En la tarde, yo estaba en las escaleras esperando al grupo que llegaba y despidiéndome de los que se iban. Mi asistente estaba abajo, abriendo la reja de la casa y cuando vi a SSY, me quedé en "shock", porque se parecía demasiado a mí en una foto en la que yo tenía 7 años y que Mis Padres tenían sobre un secreter que estaba en una salita a la entrada de su habitación (en el momento que ella llegó a mi casa, tenía 10 años y yo 25). No podía creer el parecido.

Bueno, ella creció cerca de mí. Aunque yo era muy joven, siempre la he sentido como una hija o hermana menor e Hijo&Hija la quieren como a una hermana mayor. Me convertí en su madrina de confirmación cuando ella tenía 17 años; ella es la madrina de confirmación de Hija e Hija es la madrina de su niña.

SSY ha sido mi socia de negocios, es mi hermana

del alma, mi amiga incondicional.

Una astróloga que trabajaba con vidas pasadas me dijo que ella estaría en mi vida y que en una vida anterior habíamos compartido un vientre. Que habíamos sido hermanas gemelas. No sé si esto es cierto, pero realmente se siente así.

7

"Toda la vida es un experimento.
Cuantos más experimentos
hagas, mejor".

- Ralph Waldo Emerson.

Seguí viviendo.

Tuve a Hija a los 28 años, •drama• •felicidad• •drama• •felicidad•.

Durante ese tiempo, comencé a estudiar la Biblia nuevamente. Aunque la había leído varias veces en la escuela, sucedió algo y la volví a leer, junto con toda la información que pude encontrar sobre ella. Había estudiado un poco sobre cómo interpretarla desde el punto de vista metafísico, en mis primeras lecturas, y ahora me parecía fascinante.

Un día, al final de mi clase para adultos, una de mis estudiantes, una querida amiga, que estaba en un camino personal, quien incluso me presentó a un monje filipino y con quien yo hablaba mucho sobre espiritualidad, me preguntó si podía hacerle el favor de leer un libro que le resultaba difícil de entender y luego se lo explicara.

Por supuesto le dije que sí (nunca le digo que no a nada de lo que pueda aprender). Ese fue mi primer contacto con *Un Curso de Milagros*. Aquel era como un libro de aclaraciones. Lo leí y le expliqué la terminología, pero estaba inmersa en el estudio de la Biblia y el •drama• •drama• •drama•.

En medio de este •drama• •drama• •drama• y •drama• •felicidad•, continué aprendiendo cosas nuevas. Más "coincidencias" se repetían en mi vida. Más conocimiento, más consciencia, más revelaciones. Yo medio practicaba y compartía lo que aprendía hasta con mis estudiantes. Les hacía leer sobre autoestima y crecimiento personal, en vez de libros de cuentos, y tuve muchos, como yo los llamo, mini-milagros.

Una cosa buena de la mudanza era que SSY y yo estábamos más cerca ahora. No la había visto en tres años, y la última vez había sido en circunstancias muy tristes. Papá falleció; el papá de SSY falleció 19 días después.

8

"El miedo a la muerte se deriva del miedo a la vida. Un hombre que vive plenamente está dispuesto a morir en cualquier momento".

- Mark Twain.

SSY no estaba conmigo cuando Papá se fue y esa ida de Papá puedo decir que hizo aflorar el sentimiento más inexplicable que he tenido en mi vida.

Para ese momento, él tenía 88 años; yo la mitad. Yo sentía que él ya no quería vivir más. Él era un hombre muy fuerte físicamente, pero estaba sufriendo de degeneración macular y ya no podía casi leer, lo que le gustaba mucho. Tampoco montar bicicleta en la calle, ni nadar en lo profundo del mar por horas, como solía hacer. Yo no recuerdo que él haya dejado de entrenar ni un solo día. Hacía ejercicios todo el tiempo. Sabía todo sobre medicina natural. A veces me río cuando leo algo sobre un "descubrimiento" acerca de que un vegetal o el agua son buenos para alguna cosa, pues ya lo sabía; Papá me había hablado sobre eso. Hacía tantas cosas asombrosas a sus 80 años como las había hecho durante toda su vida, como dar sus "chorrocientos" mil saltos con la cuerda o colocarse completamente horizontal y en punta de pie y volver a la posición original, con aquella ruedita de ejercicios que todo el mundo hacía de rodillas. En esta época, seguro habría tenido una cuenta de Instagram y habría sido un *influencer*.

En aquel entonces, yo estaba lista para dejarlo ir o eso pensé, porque siete años antes, Papá había estado muy enfermo. Tenía un poco de gripe, pero terco como era, se despertó como de costumbre, en la madrugada, a hacer ejercicios. Como hacía mucho frío, se enfermó. Entró en el hospital con los pulmones comprometidos, los riñones, todo. Lo pusieron en terapia intensiva, pero no quería quedarse allí e hizo una escena. La única vez que había estado en un hospital en su vida había sido en Japón, cuando pensaron que tenía tifo. Los médicos tuvieron que sedarlo.

Fue muy difícil para mí verlo en ese estado y también para Hijo. Hijo amaba a su Nonno. Era el hombre al que más admiraba y con quien más le gustaba compartir, cuando era pequeño. Y Papá amaba a Hijo de una forma diferente y especial, también con admiración y una comprensión y entendimiento extraordinarios, como nunca pensé que podría amar a alguien. Le enseñó a hacer ejercicios, a jugar al ajedrez, a cuidar su cuerpo, a ser una persona sana y mucho más. Hijo tiene lo mejor de Papá, porque Papá solo le dio a Hijo lo mejor de él.

De todos modos, a sus casi 82 años, era difícil para cualquiera superar todo eso, pero cuando le realizaron pruebas, dijeron que su edad biológica indicaba la de alguien de menos de 60 años.

Le dieron todos los tratamientos que necesitaba en una de las mejores clínicas de CiudadLeón (capital de PequeñaVenezia), y de mano de los mejores médicos, en quienes confiábamos por completo.

Por cierto, recuerdo que dos de mis hermanos estaban hablando de que era un hecho que Papá iba a morir y yo me puse furiosa y les grité que se callaran, que aún no estaba muerto y que lo iban a ver parado sobre sus pies, en la puerta de entrada otra vez, fuerte y gritando (a la italiana), como solía hacer.

A la mañana siguiente, 24 de mayo (Día de la Virgen María Auxiliadora), recibimos una llamada de la clínica en la que Mamá decía que Papá estaba mejor y que lo iban a sacar de terapia intensiva. Sin embargo, algo sucedía que no se recuperaba por completo y llamaron a un especialista en sangre. Al examinarlo se dieron cuenta de que Papá tenía lo que se conoce como "leucemia mediterránea". Zio, el hermano de Papá había muerto de eso.

Uno de los médicos pidió hablar con todos nosotros. Papá, al vernos a todos juntos, nos dijo: "¿Qué están haciendo todos aquí al mismo tiempo? ¿Me estoy muriendo?".

El médico se reunió con los cinco hermanos, mientras Mamá se quedó con Papá en la habitación, porque habíamos acordado no contarle a él nada sobre la leucemia, y nos informó que le darían una dosis de quimioterapia que se administraría en tres partes y que, después de la primera, podríamos llevarlo a casa. Uno de mis hermanos le preguntó cuándo exactamente habría que llevarlo de vuelta para la próxima dosis y, prácticamente, nos dijo que no iba a vivir para la siguiente.

Entonces, como dijo el médico, le administraron la quimio y a los dos días lo llevamos a casa. Papá no quería tomar las cosas naturales que una naturópata de Mamá le había recetado; ni siquiera quería tomar las alopáticas que le mandaron los doctores; así que Mamá tuvo que decirle la verdad: que tenía lo mismo que su hermano. Lo recuerdo justo en ese momento y también recuerdo lo que me dijo: "Esto no me va a vencer a mí".

Estando en casa, un terapeuta respiratorio venía a ayudarlo a ejercitar sus pulmones y Papá le pidió que lo dejara subirse a su bicicleta estacionaria y hacer los ejercicios de respiración en ella. El terapeuta lo autorizó y comenzó a ejercitarse. Solo habían pasado dieciséis días, cuando el terapeuta nos dijo que no tenía sentido que él siguiera viniendo (en el momento pensé: "¿Por qué? ¿Ya no puede ayudar a Papá?") y agregó: "Miren, este señor ya no me necesita. Está respirando solo y montando en bicicleta: ¡sus pulmones están mejores que los míos!".

No podíamos creer lo que estábamos oyendo. Mamá inmediatamente llamó al médico y él pidió que llevaran a Papá a la clínica. En la clínica, le realizaron pruebas y el resultado arrojó que su sangre estaba limpia. No había rastros de la leucemia.

El médico hasta le pidió permiso a Papá para usar su sangre para investigaciones. Cuando le preguntabas a Papá cómo lo había hecho, él siempre respondía: "Es el ejercicio, mi bicicleta". Pero yo sé que fue su mente.

Papá vivió 7 años más, entrenando todos los días. Hasta que un día le dijo a Mamá: "Me duele la pierna" y necesitó ayuda para caminar. Fue un accidente cerebrovascular, pero casi no lo sintió. Ella pidió una cama de hospital para tener en casa y una enfermera para ayudarla. El día antes de que esto sucediera, recuerdo que fui a verlo y me dijo que ser viejo no era para él. Le respondí que muchos querrían ser como él a su edad, incluyéndome a mí, y afirmó como siempre: "El día que no me pueda parar sobre mis pies, no duro tres días". Y eso fue lo que sucedió. Cuatro días después, falleció. Papá se fue rodeado de su familia: Hijo a sus pies, yo sosteniendo su mano y diciéndole al oído las *Cayenas*, que había aprendido que tenía que decirle para ayudarlo a "mudarse" en paz, y escuchando su música napolitana. Su última comida el día anterior fue gelato; su última sonrisa fue para Hijo.

El duelo de Papá, para mí, fue muy raro. Nunca imaginé que un sentimiento tan extraño existiera ni que pudiera revelarme tantas cosas. Sentía mucha rabia, tristeza, desprotección. Solo una vez he visto a alguien sentir todo lo que yo sentí durante varios meses, después de que Papá pasó de plano, y fue en la serie "One Tree Hill", cuando Hailey sufre la muerte de su mamá. Hasta que la vi, pensaba que mis emociones y reacciones, alrededor de ese tiempo habían sido anormales.

Yo, desde muy pequeñita, suelo siempre identificar a las personas con un color. Después estudiando Metafísica, me di cuenta de que esos colores en que veo a las personas están relacionados con un Rayo o Llama de luz. A Papá siempre lo vi azul. Pero cuando murió, literalmente al otro día, mientras hacía las diligencias para su despedida, me sucedió algo. Iba por un camino muy bonito de CiudadLeón que tiene árboles enormes, frondosos y muy bellos y empecé a ver como un brillo, como escarchas que brillaban en las ramas altas de los árboles con la luz del sol, y a sentir a Papá en ese lugar. Como si él me acompañara desde ahí. Ya no lo veía azul, sino verde.

Por un momento pensé que había cambiado de color y de pronto recordé que cuando estaba estudiando Numerología, me puse a hacerle el perfil a Papá con la novia de uno de mis hermanos, que era psíquica y sabía de Numerología también, y los números de Papá indicaban que su misión en esta vida era enseñar sobre la salud. Entonces comprendí que solo para mí Papá era azul, porque era mi protector, pero vibraba en verde y había cumplido su misión, porque no creo que haya existido alguien que lo conociera y no hubiera aprendido algo relacionado con la salud.

La muerte de Papá me enseñó demasiado de mi propia vida. En el momento que estoy terminando de escribir este libro, apenas se acaban de cumplir 40 días de que Mamá también hizo su transición, 13 años después de Papá.

Hace poco tuve uno de mis "Momentos Aaahh" (como cuando habla Dios o aparece un ángel) y me vino a la mente la frase de la Biblia, "Polvo eres y en polvo te convertirás"; pero en vez de percibirla como letra muerta, lo que pensé fue en Papá brillando en los árboles y ahora Mamá también, y el polvo dejé de verlo como cenizas y tierra. Luego me vino otro "Aaahh" y pensé: "polvo cósmico, pura vida, pura energía. Eso son ahora".

Hija y yo volamos a ver a SSY a FreezerCountry. Tomamos tres vuelos. Llegamos y fue cheverísimo. Compartimos mucho con SSY y su familia. Recorrimos la ciudad, su lindo pueblito, los pinos, las espectaculares vistas, la nieve, incluso fuimos a un partido de hockey y tomamos cervezas en un bar como el de Robin en "How I Met Your Mother". Chismeamos, nos reímos, bailamos, nos divertimos mucho. Estábamos juntas como nunca, como siempre.

Allí comencé a sentirme enferma y estaba profundamente triste. Era una sensación extraña que no había tenido antes. Tenía un poco de fiebre, que creí que era causada por el invierno extremo (-20 °C) al que no estaba acostumbrada, y mi barriguita comenzó a crecer. Pensé que estaba hinchada por el largo viaje. Traté de olvidarlo y estar feliz y presente.

En ese entonces, yo estaba viviendo muchos cambios. Había tenido que tomar muchas decisiones. Tuve que dejar muchas cosas que no quería soltar, como mi querida Agencia de Tours para Quinceañeras que empecé con SSY, fuimos socias durante dos años, y con la que yo seguí durante 6 años más, después de que ella se casó y se mudó a FreezerCountry.

Mi barriguita seguía creciendo y jugábamos diciendo que tenía un títere adentro.

El tiempo pasó rápido e Hija y yo volvimos a casa. Recuerdo la cara de Hijo cuando vio mi barriga. "¿Qué te pasó?", me preguntó. Yo nunca había tenido barriga, a no ser que estuviera embarazada. Podía aumentar de peso, pero de forma proporcionada; sin embargo, lo que había aumentado era mi barriga solamente. No supe qué decirle.

Hija y yo habíamos viajado el domingo después de Acción de Gracias a FreezerCountry y volvimos casi a mediados de diciembre. Esposo estaba trabajando en SunnyCity. Hijo&Hija y yo estábamos en MagicCity.

Antes de la víspera de Navidad, Esposo regresó a MagicCity y, aunque no me sentía muy bien, cocinamos y fuimos a ThemeParkWalk; pero cuando estaba caminando empecé a sentirme peor; así que volvimos a casa, cenamos y nos dimos los regalos.

Yo sentía que tenía algo extraño en mis pulmones, pero como siempre había sido tan sana de mis vías respiratorias, pensé que no era nada. Cuando mucho, frío, que me había traído de FreezerCountry.

Comencé a hacer algunas de las cosas que había aprendido de Papá, para sentirme mejor: beber jugo de limón, comer ajo, beber aún más agua (y ya bebía demasiada), pero seguía sintiéndome igual.

Esposo regresó a SunnyCity a trabajar y volvió a MagicCity un día antes de la víspera de Año Nuevo.

Para entonces, mi barriga era enorme. No pudimos salir esa noche. Los cuatro nos quedamos en mi habitación mirando los fuegos artificiales a través de la ventana y deseándonos Feliz Año Nuevo.

Esposo se fue a SunnyCity el 2 de enero. Yo estaba aterrada. No tenía ningún seguro en NorthCountry, ni siquiera el de viaje. Mis doctores estaban en PequeñaVenezia, pero Hijo y Esposo no podían regresar allá. Solo Hija y yo podíamos ir.

Continué tomando ajo, aceite de oliva y jugo de limón para mantener mi cuerpo alcalinizado, depurar mi hígado y riñones y evitar cualquier infección. Pensaba que tenía una inflamación. No sabía qué más hacer y, como nunca en mi vida, me sentí débil.

"Siempre es algo, saber que hiciste lo mejor que pudiste. Pero, no dejes de esperar, o no servirá de nada hacer nada. Esperanza, esperanza hasta el final".

- Charles Dickens.

Cuando tenía 21 años, antes de tener a Hijo, un día me dolía mucho el vientre y comencé a sangrar. Cuando fui a mi ginecóloga, ella dijo que tenía un quiste y que debían realizar una cirugía para extirparlo. Mamá se preocupó mucho, pero antes que nada llamó a la Sra. Exp, que me dio algunos tratamientos naturales. Sin embargo, el dolor seguía presente y también el sangrado. Durante ese tiempo, mi vida era, por supuesto, •drama• •drama• •drama• y yo estaba tan enredada en ese •drama• que resultaba obvio el porqué me estaba pasando eso.

Una mañana, desperté molesta y me dije a mí misma: *"Mí Misma, ¡ya basta de tanto •drama• •drama• •drama•!"* y me dediqué a hacer las *Cayenas* que había aprendido durante esos años. El sangrado paró, el quiste, literalmente desapareció sin cirugía. Yo estaba perfectamente bien.

No me malinterpretes cuando digo que me sentía débil. También tenía fe. Confiaba en Dios. Ya había habido milagros en mi vida. Sabía cosas que muchas personas públicas muy espirituales no sabían. Como dije, he estado estudiando Metafísica formalmente desde los 17 años. Sabía cómo debía pedir, pero me sentía como desconectada y perdida. Hice mis *Cayenas* y esperé Mi Milagro.

Recuerdo que le escribí un mensaje privado a

Marianne Williamson por Facebook. Desde que había leído su libro *Volver al Amor*, sentía una fuerte conexión con ella e incluso había hecho sus talleres en el "I can do it" en Orlando, en el año 2010. Le dije que necesitaba un milagro para mí e Hijo&Hija y, casi de inmediato, ella publicó una oración en su muro, que incluso mi amiga Leyn leyó en PequeñaVenezia.

En un instante, muchos comenzaron a orar por mí.

Una persona escribió: "¿Por qué no rezas por ti misma?". Y me pregunté: *"De verdad, Mí Misma, ¿por qué no rezas por ti?"*. Y recordé esto de *Un Curso De Milagros (UCDM)*:

"Los milagros sanan porque suministran una falta; son realizados por aquellos que temporalmente tienen más para aquellos que temporalmente tienen menos".

10

"Tendrás que pasar por un infierno, peor que cualquier pesadilla que hayas soñado. Pero cuando termine, sé que serás tú el que esté de pie. Sabes lo que tienes que hacer. Hazlo".

\- Duke (Rocky IV).

Ha habido momentos durante mi vida en los que me he metido en el caos. Consciente, "inconscientemente" me sumerjo en él. Me disocio de lo que yo sé que es lo mejor para mí. Más que todo cuando escucho esa "voz" en mi cabeza, que no tiene nada que ver con mi corazón. Esa "voz" que me conecta con el miedo, los juicios, la ira, los resentimientos y las creencias que he aprendido de lo que está a mi alrededor y que no tienen nada que ver con lo que sé que me trae paz.

Sin embargo, siempre que vuelvo a "Mí", todo mejora y recupero mi poder rápidamente.

Siempre, excepto una vez...

En ese momento, puedo decir que me sentía como Artillery Arthur (HIMYM), cuando dijo: "¡No me queda nada más para darte, Darlene!". No me quedaba nada más que dar. No me quedaba nada más por tratar.

Pasaron los días y nada mejoró. No me sentía mejor; en realidad, empecé a sentirme peor. Sentía dolor. En una semana, perdí casi 6 kilos.

Hijo&Hija, de 25 y 19 años para entonces, me cuidaban, me daban de comer. Hija me acompañaba mientras me duchaba, todos los días. Hijo corría a la farmacia cada vez que le decía que tal vez algo podría ayudarme, como los probióticos o los antiinflamatorios. Estaba esperando Mi Milagro y no quería ir a un hospital. Estábamos realmente preocupados por el dinero que se tenía que pagar en NorthCountry por los servicios de salud. Todo pasó demasiado rápido: de estar saludable, a sentirme fatal una semana después.

La mamá de una chica con la que Hijo estaba saliendo para entonces vino a darme una bendición, que solía hacer con una estatuilla de la Virgen María a su lado. Hija le abrió la puerta de entrada y algo sucedió.

La señora estaba afuera de mi habitación y le dije desde mi cama que entrara. Yo estaba sola. Ella entró y preguntó: "¿No estaba Hijo contigo aquí? Podría jurar que lo vi sentado en tu cama, con una franela blanca. Vi su espalda ancha". Le respondí: "No, Hijo no está aquí y tiene puesta una franela azul". Y sin pensarlo, agregué: "¡Viste a Papá!". Papá, cuando estaba en casa, siempre llevaba puestas franelas blancas como las que usaba Vin Diesel en "The Pacifier".

Al decir esas palabras, me invadió un asombroso sentimiento de protección. Desde ese momento, sentí que Papá estaba conmigo. Cerca de mí, cuidándome.

Hijo&Hija estaban demasiado preocupados. Hijo leyó en internet que había un hospital en SunnyCity que recibía pacientes sin seguro. Llamó a su papá y le dijo que viniera a MagicCity a buscarme y me llevara a ese centro médico. Esposo vino esa noche y a la mañana siguiente estábamos camino a SunnyCity. Eran cuatro horas de distancia.

Hijo tuvo que llevarme casi cargada al carro, porque ya yo no podía caminar distancias largas. En el camino, el dolor era muy, muy fuerte. Había tomado un analgésico, pero ya no me hacía ningún efecto. Recuerdo que paramos por gasolina y no podía encontrar ninguna posición para sentir menos dolor. Siempre he tenido una escala de dolor muy alta. Tuve a Hijo&Hija sola, sin anestesia, pero este dolor era uno que no sabía cómo manejar, cómo respirar. El camino al hospital fue un infierno para mí.

Llegamos a SunnyCity y Esposo, que estaba nervioso, me dijo: "No tengo la dirección para llegar al hospital. Voy a parar y llamar a Hijo para que me la dé". Estaba desesperada por el dolor y en ese momento hice una *Cayena*, a la que me gusta llamar...

Anagnórisis

Es un microsegundo de reconocimiento de Dios, de La Divinidad dentro de mí, de esa Fuerza, de ese Poder, de la presencia de los Ángeles, en el que guardo silencio y espero confiada la ayuda que necesito... y llega.

De repente miré a la izquierda y estábamos en el NorthHospital.

Llegamos, esperamos, el dolor era espantoso. Por fin me atendieron; creo que pensaban que estaba dando a luz. Luego se dieron cuenta de que no. La enfermera revisó mi presión, mi peso, etc. y me pusieron en una cama en la sala de emergencias. El dolor era el más fuerte que jamás había sentido. Inmediatamente me tomaron la vena y me pusieron la "pain medication", ¡Wooohooo!, que para mí fue como bañarme en Emerald Beach en Saint Thomas.

Comenzaron a hacerme todo tipo de pruebas. Pasamos la noche en el hospital. Esposo se sentaba en una silla y algunas veces iba al carro a dormir un poco. Si yo estaba bajo los efectos de la medicación para el dolor, todo estaba bien, pero tan pronto como el efecto pasaba, sentía que me iba a romper en pedazos. También me pusieron oxígeno. Me cuidaron muy bien.

Al día siguiente, estuve ingresada durante muchas horas más. Una persona que necesitaba información para hacer los pagos al hospital le dijo a Esposo que solicitara un seguro de emergencia y así lo hizo. Para mí, ella fue enviada por Dios.

Más tarde, un médico vino y me dijo que me iban a pasar a Cuidados Intensivos (C.I.) y, al preguntarle la razón, me respondió que allá me explicarían. Hasta ese momento, en mi cabeza yo continuaba pensando que seguro lo que tenía era una inflamación o algo así.

Me trasladaron. Me encantaría olvidar lo que pasó en C.I.

Escuché unos gritos afuera de mi habitación. Eran de una mujer que resultó ser una doctora y que al entrar comenzó a hablarme en inglés, aunque era colombiana y sabía que yo era de PequeñaVenezia.

Nos dijo a mí y a Esposo, frente a la enfermera que me estaba poniendo el medicamento para el dolor, algo como esto:

"No tienes que estar en C.I. Tienes algo muy grave. Tienes cáncer, tienes sangre y agua en los pulmones, tu hemoglobina está en 5, se te debe extirpar un tumor de inmediato y aquí no podemos. Le hemos preguntado al Dr. SuperSage en MainHospital si puede ingresarte y realizar la cirugía. Si no puede, tienes que encontrar adónde irte, porque aquí no podemos hacer nada más por ti".

No fue lo que dijo, sino la forma en que lo dijo. Parecía que realmente estaba disfrutando el momento. Recuerdo que las lágrimas comenzaron a caer de mis ojos. Me dije: *"Mí Misma, recuerda que no hay nada que nadie pueda hacer para oprimirte o desmoralizarte, a menos que tú se lo permitas"*.

La miré a los ojos, buscando un poco de humanidad y le respondí en inglés: "¿Cómo puedes estar tan segura de que tengo cáncer? Si mis pulmones están llenos de sangre y agua y mi hemoglobina está en 5, ¿cómo me van a realizar una cirugía? Una cirugía me mataría inmediatamente..." y otras cosas que no recuerdo. Entonces ella bajó la mirada y me dijo en español: "Allá te pondrán sangre".

Pensé: *"Bueno, Mí Misma, ya escuchaste todo lo que no está bien en tu cuerpo. Estás realmente muy grave, así que piensa: ¿qué es lo peor que te puede pasar? ¡Me puedo morir! Ok. Pero, hay algo que se te está olvidando en este momento y que tienes que considerar y tener bien claro: cualquier persona, haga lo que haga, tenga lo que tenga y viva donde viva, tarde o temprano se va a morir. No eres la única. Todos nos vamos a morir. Aunque suene fuerte, es cierto. La diferencia es que tú te vas a morir más pronto de lo que pensabas, porque estás aquí, y algunos de tus conocidos y amigos cercanos que vinieron a NorthCountry con cáncer y se sometieron a una cirugía, murieron".*

Esposo y yo nos quedamos paralizados. Recuerdo que él estaba furioso por la forma en que la doctora nos había comunicado la situación. Yo me desligué de la doctora porque, aunque hubiese sido fácil enojarme o tomar represalias o denunciarla (en serio, había sido muy desagradable y hasta cruel), eso hubiera bajado y ensuciado mi vibración, y una vibración baja solo iba a crear más caos, más •drama• •drama• •drama•. Después de todo, odiar es una elección y decidí no hacerlo. Para mí, siempre ha sido relativamente fácil no reaccionar cuando se meten conmigo; no así cuando alguien se mete con Hijo&Hija. En esa circunstancia sí me vuelvo una leona feroz, dispuesta a defender a mis cachorros.

Otros médicos especialistas muy amables vinieron a hacerme preguntas. Uno de ellos, de infecciones, era de PequeñaVenezia y le pregunté si podía viajar allá a ver a mis médicos. Me respondió que el MainHospital era excelente y que no podía viajar en mi condición.

Una enfermera, la misma que estaba en la habitación cuando recibí la noticia, me dijo que la Dra. Mean era mala con todos. Que trataba muy mal a todos en el hospital y que todo iba a estar bien, que en el MainHospital me cuidarían. Fue muy compasiva.

Sentí pena por la doctora, porque no le costaba nada ser amable. Ser amable es una de las vibraciones más poderosas que se puede ofrecer al mundo y más en su profesión. Seguramente eso cambiaría su vida para mejor y atraería bendiciones para ella y para todos los que contactara en su día.

De paso, la Dra. Mean era la única colombiana odiosa que había conocido en mi vida. Los colombianos siempre me han parecido educados, amables, y todos los que he tratado desde que era niña han sido amorosos y cariñosos conmigo. Mi vibración en ese momento debió haber estado por el suelo para haber atraído a alguien así.

Me pasaron a una habitación con otra persona, esa noche. Estaba incómoda porque mi compañera de cuarto hablaba por teléfono en voz alta todo el tiempo sobre cosas realmente negativas. De nuevo, otra persona que daba cuentas de mi baja vibración.

Me dije: *"Mí Misma, por favor, permítete a ti y a los demás la libertad de simplemente ser. No te preocupes por la negatividad a tu alrededor. Solo respira hondo y deja que la vida suceda".*

Un médico entró en la habitación y nos informó

que el Dr. SuperSage de Ginecología y Oncología del MainHospital me iba a recibir. Le di gracias a Dios.

Para ese momento yo solo estaba tratando de mantenerme tranquila y me sentí muy agradecida. Ahora teníamos que esperar a que me buscara la ambulancia.

Esperamos...

No pudieron venir esa noche. Esposo se fue a la casa a descansar. Una enfermera vino y me contó de su esposo que se había sometido a una cirugía y me habló muy bien del hospital. También habló de la Dra. Mean, y me dijo lo mismo, que era mala con todos. Parece que la forma en que me había hablado realmente no le había gustado a nadie en el hospital. Me sentí confortada.

Solo estaba preocupada por el dolor, porque me dieran el medicamento a tiempo, ya que era muy fuerte. Alrededor de las 6:00 de la mañana del día siguiente, Esposo regresó al hospital. Esperamos todo el día y la ambulancia llegó alrededor de las 9:30 de la noche. Era una camioneta pequeña. Yo tenía mucha ansiedad pensando en si llegaría al MainHospital a tiempo para que me pusieran la "pain medication". *"Mí Misma, relájate y deja que Dios y tus Ángeles te guíen".*

Esposo siguió a la ambulancia en su camioneta. Yo estaba preocupada por él, porque era un camino de SunnyCity que no conocía. Los muchachos de la ambulancia fueron atentos. Hice *Cayenas* todo el camino. Llegamos al MainHospital. Esposo llegó al mismo tiempo.

Me ubicaron en una habitación privada y cómoda y me pusieron el medicamento de inmediato. Recuerdo a la primera enfermera que me tomó la vena, Mac. Le dijo a Esposo que la butaca del cuarto se convertía en cama, y le trajo una sábana, una manta y una almohada.

Esa habitación y ese hospital se convirtieron en mi casa. No podía creer lo que estaba viviendo. Sentía que era una persona diferente y no yo la que sufría ese dolor físico y pasaba por esa situación.

Al día siguiente, un grupo de médicos me visitó muy temprano. El Dr. SuperSage y cuatro doctoras se presentaron. Una adorable mujer, la doctora McGorgeous, me dijo que ella haría la cirugía. Si la doctora Mean en el NorthHospital había sido mala, estos doctores eran absolutamente lo contrario. Eran realmente humanos, amables, cariñosos y compasivos.

Entre tanto, el dolor seguía siendo horrible. No podía llegar a la hora en que me tocaba el medicamento sin sufrir.

Me hicieron toda clase de exámenes, mientras yo pensaba que me iba a morir y lo aceptaba. No voy a decir que me sentía preparada para morir, porque, lamentablemente, en la vida nos preparamos para casi todo menos para la muerte y, hablando claro, no podemos realmente prepararnos para lo desconocido; pero sí podemos dejar de tenerle miedo, porque eso solo nos desgasta y nada más. Así que lo que sí puedo decir es que no tenía miedo.

Es *Mi Convencimiento* que solo el cuerpo es mortal. Es como una ropa que usamos mientras estamos aquí y, que es Dios, La Divinidad, La Presencia, La Fuerza, La Energía eterna, invisible e inmortal, que le da vida.

Pienso que, si la primera ley de la termodinámica dice que la energía no se puede crear ni destruir, sino solo transformar, es decir, pasar de una forma a otra, y si el mundo entero está compuesto únicamente de energía y materia y nosotros estamos compuestos de energía y materia (simple ciencia), entonces, podemos ser transformados, pero nunca destruidos; la vida no puede ser destruida.

Yo creo ciegamente que la muerte no es el final, sino solo una transición hacia un nuevo comienzo, donde volvemos a ser La Luz que siempre hemos sido, como las escarchas en las que creí ver a Papá; pasamos a ser UNO con Dios, La Divinidad, La Fuente, La Presencia, La Fuerza, La Energía Pura, El Silencio Perfecto.

Creo que, como lo llama *UCDM*, es el ego, el que nos aparta del reconocimiento de Dios – Esa Divinidad, Esa Fuente, Esa Presencia, Esa Fuerza, Ese Poder, Esa Energía Pura, Ese Silencio Perfecto, a Quien me gusta llamar *Yo*: que es lo que somos, donde vivimos y tenemos nuestro ser – y nos hace creer que él es lo mismo, pero en realidad, el ego sí es mortal.

Creo que, al morir, todos nos convertimos en

ese *Yo* que se mueve con Dios. Creo que, en el otro plano, no hay espacio ni tiempo ni forma, solo puro amor; y que el cuerpo solamente se usa para vivir esta experiencia material. Creo que *Yo* está en los cuerpos y no se puede ver ni reconocer, pero al salir de ellos, se vuelve infinito, absoluto, amor, paz, pureza, polvo cósmico, solo buenas vibraciones... y no creo que haya reencarnación para el ego, sino encarnación constante para *Yo*, en quien sí somos inmortales.

Tampoco creo que haya infierno, ni castigo. Creo que eso nos lo creamos aquí.

Yo siento que, cuando me relajo en *Yo*, percibo su AMOR eterno e incondicional y que así cambiaré de plano. Así será mi transición, en el momento que lo decida. Porque también creo que, aunque no lo parezca, todos nos vamos de este plano, cuando desde el subconsciente nos queremos ir. En lo más profundo de mí, confío que será de forma fácil y relajada, sin importar lo que parezca afuera.

Hay personas que tienen miedo de morir, otras que tienen miedo de vivir y otras que viven y mueren sin miedo. Tal vez, en ese momento, yo era de las segundas.

Me hicieron una transfusión de sangre y recuerdo que le pregunté a la enfermera si esa sangre era buena y me contestó que se había analizado para detectar cualquier enfermedad. Su respuesta me hizo pensar mucho en la persona que la había donado. Me preguntaba: *"Mí Misma, ¿sería una buena persona, amable, amorosa y compasiva o no? ¿Qué pensamientos y emociones tendría: positivos, negativos, buenas vibraciones?".*

Yo creo que las enfermedades se crean a partir de una mente que no está en paz y que, incluso, las enfermedades congénitas traen consigo un reciclaje de memorias dolorosas "podridas", de patrones de pensamiento, que no se han limpiado o sanado y por eso se transmiten de generación en generación. Los descendientes los aceptan y acumulan memorias similares por años, hasta que alguien asume la responsabilidad, decide cambiar esta situación y rompe esa cadena. Por eso, me preguntaba cómo sería la vida de la persona que me dio su sangre, qué carga de estrés traería. Finalmente, la bendije con gratitud y le deseé todo el bien. Y a la sangre le di mi bendición: "En el Nombre de Dios".

Esposo les dijo a Hijo&Hija que cerraran nuestra casa de MagicCity y se vinieran a SunnyCity. Ellos me preguntaron cuáles de mis *Bestest*, mis libros favoritos, quería que me trajeran. Les pedí varios, incluyendo *UCDM*, mis Cartas de Ángeles y mi laptop.

También le dimos la noticia a Mamá en PequeñaVenezia. Esposo le explicó la situación y luego me la puso al teléfono. Fue muy duro. Yo casi no tenía voz, pero hablé con ella y le pedí que no comentara nada con nadie. No quería que estuvieran hablando sobre mi situación o mi familia. Eso de que la gente empieza a visualizarte enferma o a pensar que te vas a morir es patético, y más pavoso que Jessica Fletcher, que a donde llega se muere alguien. No ayuda para nada a quien está enfermo. Lo mismo que la palabra "pobrecito" que, para mí, debería eliminarse del diccionario y desaparecer de la mente de todos. Los hijos de Dios no son nada pobrecitos. Somos poderosos en Él. Tenemos el poder de elegir, crear, vivir o morir.

Mamá estaba muy asustada, angustiada, desesperada y comenzó a rezar por mí en el mismo instante en que se enteró de la situación. Quería venir, pero le dije que no. Ella era mayor y yo quería que estuviera bien. Le pedí que no suplicara por mi salud, sino que por favor me visualizara sana; que eso era lo único que quería que hiciera por mí. Que si quería rezar como ella acostumbraba, lo hiciera, pero por su paz y no por mí.

A los días, cuando volví a hablar con ella, me comentó que había visto la misa del Papa en vivo desde el Vaticano, por el canal italiano, y que "por casualidad" durante la ceremonia habían pedido salud y vida para los enfermos y, desde ese mismo instante, ella, tan bella, había comenzado a repetir sin parar: "Salud y vida para mi hija", porque sabía que así era que yo quería que rezara.

Era un sábado, alrededor de las 2:00 de la tarde, cuando Hijo&Hija finalmente llegaron al hospital. Recuerdo el momento en que entraron en la habitación y me vieron conectada a esa cantidad de cables. Nunca olvidaré la tristeza en la cara de Hija, no podía ni mirarme a los ojos, lo que fue como una llamada de atención para mí. Pensé: *"Mí Misma, ¡es en serio que te vas a morir! ¿Quién va a cuidar a tus niños?"*.

Pensarás: "¿tus niños de 24 y 19?". Claro, para mí siempre serán mis niños: somos muy unidos, ellos son, como decimos en PequeñaVenezia, 'mis panas'; los tuve joven y hemos crecido juntos. Para ser sincera, a veces siento que realmente yo no he terminado de crecer y si algún día lo hago, quiero ser como ellos.

Entonces me dije desde el corazón: *"Mí Misma, no quiero morir"*.

Yo me sentía como que estaba en una película trágica. Ese tipo de películas que cuando las ves lloras demasiado y te dan mucha tristeza, porque empatizas con el dolor que estás viendo y te dejas envolver en la situación, pero sabiendo, al mismo tiempo, que estás tranquilo y te sientes seguro, porque sabes que estás bien, sentado o acostado cómodamente en tu sofá o en tu cama, del otro lado de la pantalla, y nunca podría pasarte algo así. Sin embargo, la película estaba sucediendo y yo era la protagonista.

Hijo&Hija me habían traído mis *Bestest*, y con ellos empecé a revisar todos mis síntomas y los problemas mentales y emocionales que los habían causado. Eran exactos. Todo lo que me estaba sucediendo estaba relacionado con algo que sentía: tristeza, desmotivación, resentimiento. Pero, aun así, conociendo todos los síntomas y sus causas, me sentía desesperanzada, vencida.

No tenía ganas de hacer nada. No me sentía lo suficientemente dispuesta como para pensar en sanar. Estaba cansada.

Alrededor de las 8:00 de la noche del domingo, Hijo me dijo que se quedaría conmigo esa noche. Esposo había estado yendo a trabajar y, de regreso a dormir conmigo en el hospital toda la semana, se había resfriado.

Me negué: "No. Eso es imposible". Yo ni siquiera podía ir al baño sola. Estaba muy delgada y con mucho dolor. Pero Hijo me replicó: "Tengo que hacerlo, mamá. Si mi papá continúa faltando, va a perder el trabajo. No te preocupes que todo va a estar bien".

Hijo pasó la noche conmigo. Estuvo pendiente de todo: desde que me pasaran la morfina intravenosa a la hora exacta para que no sufriera, hasta de llevarme al baño a hacer pis.

Al principio, estaba un poco incómoda y me daba pena, pero él creó un sistema que funcionaba perfectamente. Él podía ayudar a levantarme fácilmente, incluso mejor que cualquier enfermera. Y, como estoy acostumbrada a usar agua para lavarme cuando hago pis, una costumbre que adquirí de Mamá, él llenaba una jarra de agua, cortaba el papel higiénico y lo ponía a mi alcance. Mientras tanto, él esperaba en la puerta, viendo su teléfono celular. Cuando terminaba, me levantaba y me sostenía para que me lavara las manos. Luego me llevaba de vuelta a la cama.

Al día siguiente, los médicos nos despertaron muy

temprano. Me hablaron sobre un procedimiento que me iban a realizar. Me pondrían unos filtros en las venas para evitar que los coágulos que tenía en los pulmones me llegaran al corazón o al cerebro. Tuve que firmar varios papeles legales para el procedimiento. También iban a hacerme una punción para extraerme líquido de los pulmones y a hacerme más tomografías computarizadas, rayos X, análisis de sangre, etc.

Cuando se fueron, Hijo me preguntó: "Ok, mamá, ¿qué quieres hacer? ¿Meditar, escribir, leer? Dime lo que quieres hacer, porque éste es el momento para que pruebes en ti misma lo que has estado enseñándoles a todos toda tu vida".

11

"Al creer apasionadamente en algo que todavía no existe, lo creamos. Lo inexistente es lo que no hemos deseado lo suficiente".

- Franz Kafka.

Cuando Hijo tenía solo 9 años, en un momento de •drama• •drama• •drama•, se enfermó. Los médicos querían ponerlo bajo medicamentos que, al final, conducirían con seguridad a una cirugía, y cuando me di cuenta de lo que estaba sucediendo dentro de él, lo llevé a una doctora internista que también era iridóloga, recomendada por mi cuñada. Mi querida Sra. Exp ya había pasado de plano. Esta doctora le recetó un batido de papaya con semillas y sábila en ayunas y flores de Bach. Yo empecé simultáneamente a hacer mis *Cayenas*. Hijo hizo todo lo que debía y sanó. Recuerdo que cuando lo llevé al control, tres meses después, la misma doctora iridóloga me preguntó que si lo había llevado a alguna imposición de manos y le respondí que no. Él solo había hecho lo que yo le dije.

Hijo tenía más fe en mí que yo misma. Me quedé absolutamente en "shock" con lo que dijo y no supe qué responderle. Solo le dije: "Quiero hacer pis".

Hijo me llevó al baño y mientras estaba sentada allí, sacudida por sus palabras, me dije a mí misma: *"Mí Misma, ¿qué hiciste? ¿Qué estás haciendo? ¿Vas a dejar a Hijo&Hija? ¿Quieres vivir? ¿Quieres sanar? ¿Qué quieres? Sabes que tú misma creaste todo esto y aunque tanto poder puede darte sentimientos de miedo o culpa, también puedes aceptar la responsabilidad con entereza, sobrepasar los sentimientos de culpa y miedo, asumir tu poder creador y reconocer que, si tú lo creaste, tú lo puedes cambiar. Acuérdate de Papá, de la leucemia, de los milagros...".*

Hijo me levantó y mientras me lavaba las manos, me vi en el espejo y vi la cara de Papá. Me parezco mucho a él, pero esto era diferente. Estaba viendo su mirada en mis ojos.

Hijo me puso en la cama y por un momento no hice nada. Me quedé inerte, igual que siempre.

La astróloga especialista en vidas pasadas me había dicho que siempre confiara en mi intuición, que yo tenía "una sensibilidad muy inteligente" y que eso que yo hacía de acostarme a mirar el techo, cuando necesitaba encontrar mi centro y "resetearme", era suficiente. De esta forma me percibió ella. Pero realmente hago algo más que acostarme a ver el techo. Hago mi insuperable, insustituible y reconfortante...

Barquito y Rolada

Es un *Hábito* que tengo desde recién nacida y sin el que no puedo dormir: enrollo mi lengua hacia atrás. Mamá decía que nunca había querido el chupón, sino mi propia lengua. También hago algo con la punta de la funda de la almohada, a lo que no sé por qué, desde niña, yo llamo "barquito".

Supe por el monje filipino que me había presentado

mi amiga, que la forma de poner mi lengua es en realidad un estado meditativo y que "mi barquito" es un mudra, pero para mí es solo tranquilidad, seguridad, calma, paz, plenitud...

*"Ok, Mí Misma, ya sabes que los hábitos son la respuesta natural en una crisis. Sabes que cuando una persona está en una situación que la mueve, naturalmente tiende a usarlos, y eso es lo que estás haciendo. Automáticamente, ya recurriste a tu *Hábito**

Barquito y Rolada, así que ya estás en ti, ya estás segura".

Tú que me lees, dirás: "Bueno, qué hábito tan chévere, pero ¿y si mis hábitos son beber, ser infiel, apostar, comer, drogarme, comprar como loco...?".

Y yo te respondo: "Tú no naciste con hábitos como beber, ser infiel, apostar, comer, drogarte, comprar como loco; esos los aprendiste.

Cuando eras un bebé, inocente y puro, tenías tus instintos, algo dentro de ti que sabía qué era lo mejor para sentirte bien, protegido, seguro y que todavía están contigo, así decidas creerlo o no.

Cuando vas a tu *Hábito Natural*, instantáneamente encuentras paz. Es nuestro instinto. Cada acto que realizamos, incluso los que pensamos que están desconectados, en el fondo están relacionados.

Uno de mis hermanos me dijo hace muchos años, que un sensei le había dicho en un seminario de kárate que los besos nos gustan y nos reconfortan tanto porque nos conectan, a través de la boca, con el mismo sentimiento abundante, seguro y nutritivo que teníamos cuando nuestras madres nos amamantaban.

Hay un magnífico *Hábito* dentro de ti. Tal vez no lo recuerdes, pero si "sientes" con cuidado, está ahí, en lo más profundo. De todos modos, se dice que podemos construir un nuevo hábito en 21 días. A mí me toma 40, pero es absolutamente posible que tengas uno que te traiga paz, te ayude a sentirte centrado y seguro, y que cuando recurras a él, no tenga consecuencias de las que te arrepientas más tarde. Igual, hay que dejarse fluir. Todo pasa cuando y como tiene que pasar.

Seguro tienes tu propio tipo de ❀Barquito y Rolada❀ dentro de ti, y si por alguna razón no lo recuerdas, con amor, mientras tanto, puedes usar mis *Cayenas*.

Luego volví a "situarme" en todo lo que había venido a mi mente en el baño, después de que Hijo me había preguntado qué iba a hacer: *"Ok, Mí Misma, ¿qué vas a hacer? ¿Creer? Más que creer, estar segura... soltar y confiar".* Me aquieté. Solo estaba presente y empecé a repetir muy despacio, aquella primera cosa que aprendí en aquel primer libro que leí:

❀Aquiétate y sabe que Yo Soy Dios❀

... y respiré.

En mi cama, en ❀Barquito y Rolada❀, mientras respiraba y repetía la *Cayena*, muchos pensamientos vinieron a mí, rápida y simultáneamente:

*"Mí Misma, estás clarísima en que toda enfermedad viene de una mente que no está en paz. Una mente confusa con una carga enorme de estrés. Entonces, esta enfermedad te está diciendo que tu mente no está en paz. Tú sabes que el *Yo* es siempre perfecto, así que tu cuerpo debería estar mostrando perfección. Mí Misma, tu cuerpo no es ni está imperfecto. La que está imperfecta ¡es tu mente! Ella es la que está teniendo pensamientos imperfectos que generan emociones negativas "podridas", reflejadas y creadas desde el ego. Mí Misma, para sanar, sabes que primero que nada ¡tienes que sanar tu mente! ¡Tienes que reiniciar tu conciencia! Si no, ninguna medicina, ninguna intervención, nada funcionará. Si tu mente no da el permiso a tu cuerpo para que sane y se coordinen todas sus funciones, no se va a lograr nada. Mí Misma, por favor, dale a tu cuerpo el permiso de hacer lo que está diseñado para hacer por sí mismo: sanar".*

En ese instante, me llené de paz, gratitud, fe, confianza... y fue cuando todo comenzó a cambiar para mí.

Si hablamos de tomar acciones, cualquiera pensaría que no podía hacer mucho. Cuando se piensa en sanar de forma natural, todo el mundo empieza a buscar afuera: cambiar la alimentación, hacer yoga, ejercicios, tés, suplementos, superalimentos; pero yo no podía recurrir a nada de eso. No podía comer casi nada y mucho menos ejercitarme como hizo Papá. Solo tenía mi mente y, literalmente, era lo único que necesitaba.

Empecé a usar todo el tiempo, mi Yo Soy. La maravillosa Presencia creadora de Dios en mí, en la que todo lo puedo y que actúa para mí, según la fe que tenga en Ella. Literalmente, el Verbo Creador.

*"Mí Misma, repite: Yo Soy mi perfecta salud", ese mismo mantra que les había enseñado a Hijo&Hija desde que empezaron a hablar. Además, para crear algún cambio positivo de mentalidad y de poder que pudiese proyectarse hacia afuera, a todo lo que venía a mi cabeza le colocaba mi Yo Soy adelante, cuando era adecuado: "Mí Misma, repite: *Yo Soy la Presencia de Dios actuando en ese doctor, enfermera, radiólogo, camillero, señora de la limpieza, suero, medicina...".*

Aunque estaba conectada al oxígeno, hacía mi Respiración combinada con el Rayo o Llama de Luz de cada día, pero muy especialmente con el verde.

"Mí Misma, inhala contando 4, retiene contando 4, exhala contando 4, retiene contando 4. Esa es una ronda: haz 4. Luego, contando hasta 7, 7 rondas". Hacía la Respiración con las Llamas o Rayos Azul y Cristal, el domingo (Fe, Fuerza, Poder, Protección, Voluntad de Dios). Amarillo, el lunes (Iluminación, Amor, Paz). Rosa, el martes (Amor Divino, Adoración). Blanco, el miércoles (Pureza, Resurrección, Ascensión). Verde, el jueves (Verdad, Curación, Consagración, Concentración).

Anaranjado, el viernes (Paz, Gracia, Saneamiento, Provisión, Ministerio). Violeta, el sábado (Misericordia, Compasión, Invocación, Transmutación, Liberación).

"Mí Misma, inhala imaginando que llenas tus pulmones de Luz (azul, amarilla, rosa, blanca, verde, anaranjada, violeta), retén imaginado que te llenas de Luz desde tu cintura hasta tus pies. Exhala imaginando que te llenas de Luz desde tu cintura para arriba, incluyendo tus brazos y hasta tus cabellos, retén imaginándote toda llena de Luz y expande esa Luz a todos y a todo lo que te rodea. Al mundo entero, al Universo, si lo sientes".

Como podía, yo hacía mis *Cayenas*.

Estaba pendiente de decirme: *"Mí Misma, estar en paz debe ser tu meta principal. Recuerda que como pienses que es, será para ti. Es así de simple. Entonces, ten cuidado con lo que crees en este momento, solo mantén tu paz y cree en Milagros".*

No fue fácil. Cada vez que un médico venía a mi habitación y decía la palabra "cáncer", tenía un pequeño ataque de pánico; entonces decidí que lo único que podía hacer en esos momentos era...

❀Masticar Chicle como MC❀

Te preguntarás: "¿Cómo ibas a masticar chicle, si no podías ni comer?".

❀Masticar Chicle como MC❀ es algo que aprendí de Hijo hace muchísimo tiempo y que ni él mismo sabía que me había enseñado.

Un día estaba en la cocina de casa de Mis Padres, que era el sitio favorito de concentración familiar porque siempre había cafecito rico, dulces, galletas, helado. Yo estaba de pie e Hijo estaba sentado en la mesa. No recuerdo por qué yo estaba toda en •drama•, comentándole a Hijo un asunto del colegio o algo así, y mi hermano, el tío favorito de Hijo&Hija, se paró frente a mí y me dijo: "Tú estás con todo este •drama•, te va a dar un infarto y él está de lo más tranquilo masticando chicle como si no fuera con él". ¡Y era cierto! Mientras yo hablaba y hablaba, estresada, diciéndole quién sabe qué, Hijo estaba relajado, como si yo estuviera hablando en otro idioma que a él no le interesaba aprender. Nada de lo que yo decía perturbaba su estado absoluto de placidez, ni impedía que disfrutara el delicioso sabor de su chicle (en PequeñaVenezia le decimos chicle a la goma de mascar).

Así que eso era lo que yo hacía: ✿Masticar Chicle como MC✿

Cuando venían los médicos a contar su •drama•, escuchaba todo como si estuviera en una exposición de cualquier rama de la medicina; como si fuese una traducción científica que tenía que hacer, sin dejar intervenir mi emoción. Oía sobre los procedimientos, tratamientos, diagnósticos y los percibía solo como contenidos científicos y nada más. Cuando sentía que la conversación se ponía muy personal, recurría a la *Cayena*: ✿Masticar Chicle como MC✿

Lo que me resultaba más difícil era mantenerme haciendo *Cayenas*, cuando el efecto de la medicación para el dolor pasaba y me sentía incapaz de controlar mi cuerpo.

En esos momentos, volvía a repetir muy pero muy despacio:

Aquiétate y sabe que Yo Soy Dios

Esta *Cayena* está en un salmo de la Biblia también y para mí es reafirmante, porque yo creo que en Dios es que existimos, que Dios es lo que somos.

Los médicos me continuaron realizando todo tipo de pruebas e incluso trajeron a una sabia doctora de SunnyUniversity. Ella era asombrosa. Muy inteligente. Hablamos de todo. Hijo y yo la llamamos "Dra. House", porque sabía muchísimo, como el protagonista de la serie.

Llegó la hora de la intervención para poner los filtros en mis venas. No me dolió. Estaba llena de medicamentos para el dolor. Me abrieron una incisión en el cuello y me los pasaron por allí. Al otro día, me sacaron cuatro vasos de líquido de los pulmones. Eso sí me dolió, y bastante. Todos los días me ponían una inyección de anticoagulantes y me hacían muchas, muchas pruebas.

Hijo se quedaba conmigo en el hospital. Cuidaba de mí todos los días y todas las noches. Siempre inteligente. Siempre compasivo. Siempre comprensivo. Siempre fuerte. Siempre cariñoso. Siempre puro amor incondicional y siempre al tanto de todo. La misma Dra. House preguntó que si era médico, que cómo sabía tanto de medicina; pero la respuesta era que él había estado estudiando el cuerpo humano desde que tenía 18 años y ese conocimiento era algo natural en él.

Hija venía todos los días y también me cuidaba. Siempre cariñosa. Siempre valiente. Siempre fuerte. Siempre compasiva. Siempre puro amor incondicional. Siempre ella y su hermano apoyándose el uno al otro y ambos a mí. Esposo venía en la noche, al terminar de trabajar y él e Hija se iban a dormir al apartamento.

Yo hacía *Cayenas* a diario, leía mis *Bestest*, escuchaba las canciones de Hijo (él es un compositor/músico/cantante), veía videos de baile de Hija (ella es una bailarina/coreógrafa/instructora), veía televisión, todos mis programas favoritos, incluyendo "Friends", todas las noches. A veces, el efecto de la "pain medication" era muy fuerte y terminaba literalmente "tripeando" y, como suelen contar Hijo&Hija, "alucinando perritos".

Por otro lado, yo no quería que nadie me visitara. Solo una chica del AofL de SunnyCity fue a darme un CD de meditación. Tomé varios cursos con ellos en PequeñaVenezia y su instructor, mi querido Fr, me lo había enviado.

Estábamos esperando la cirugía.

Mientras tanto, me ponía más y más delgada y la "cosa" dentro de mí se hacía más y más grande.

Un día, el Dr. SuperSage vino a decirnos que los médicos de la unidad respiratoria no habían dado su consentimiento para realizar la operación por los coágulos en mis pulmones. Que debería continuar con las inyecciones anticoagulantes, pero que mientras esperábamos, me enviarían a casa.

Me dije a mí misma: *"Mí Misma, ¡No! No puedes respirar sola. Necesitas el oxígeno, a alguien para ponerte las inyecciones. Y ¿cómo te van a poner el medicamento para el dolor? Están pasándote morfina intravenosa a cada rato. ¿Cómo van a vivir en un apartamento de una habitación y un baño? ¡Ustedes son cuatro!".*

Recuerdo que era un jueves y había que pedir las inyecciones anticoagulantes y el tanque de oxígeno que tenía que llevarme a la casa. Me sentí aliviada cuando me dijeron que no las recibirían hasta el lunes y que me tenía que quedar unos días más en el hospital.

No quería irme a casa así. No quería depender de un tanque. En ese momento, no entendía qué estaba pasando con las *Cayenas*, que no me operaban.

"Mí Misma, ¿qué pasa? ¿Por qué no te operan? ¿Qué más puedes hacer?..." y me respondí: "Mí misma, eso que buscas, afuera no lo vas a encontrar. Está en el silencio de tu mente y en el latido de tu corazón. Necesitas bajar tu nivel de estrés, ya. El estrés impide que logres lo que quieres. Tienes que tranquilizarte y dejar de empujar. Hacer más cosas no te va a ayudar. Aplica tu amada...

✿Golden Key✿

... del Maestro Emmet Fox. "Deja de pensar en el problema y piensa en Dios..."

Mí Misma, quita tu atención de esta situación, sea la que sea, digan lo que digan y pon tu pensamiento en Dios. Repite lo que necesites para alejar tu mente de este problema: "Dios está conmigo, gracias, gracias, gracias (como si ya hubiese sido resuelto el asunto), Dios es infalible". Lo importante es que no te dejes poner tensa. Haz esto cada vez que vuelvas a pensar en este •drama• y entrégaselo a Él.

Mí Misma, recuerda que lo que necesitas es un cambio de mentalidad. Tienes que cambiar el patrón de tu energía. Sabes que no es momento para afirmaciones ni oraciones, porque a menos que transformen tu estado de conciencia, no van a funcionar. Tienes que estar en paz. Tienes que sentir paz. Solo pégate a tu fe "bruta, ciega, sorda, muda". Deja de juzgar esta situación. Todo está pasando como tiene que pasar. Confía, que seguro detrás de esta espera hay una bendición. De algo te está protegiendo Dios. Mientras tanto, ¡Limpia!! Empieza a perdonar todo y a todos. ¡Que no quede ni un solo resentimiento en ti!

Mí Misma, todo el poder de Dios está en ti. Quita tu ego/miedo del medio y deja actuar a Dios. Él quiere que estés sana y feliz. ¿Cuándo vas a acostumbrarte a eso, cuándo lo vas a terminar de aceptar de una vez por todas? Si dejas actuar a Dios, todo va a estar bien. Ya calma tu mente...

❀Aquiétate y sabe que Yo Soy Dios❀...

... Es en tu mente calmada donde está El Milagro. Ssshh. Cállate, Mí Misma. Para tu mente. ¡Basta!! Con tanto apuro, estrés e incertidumbre, te has olvidado hasta de hacer lo que te mantiene

viva: respirar. Vamos, Mí Misma, respira, pero de verdad".

Tomé una hoja y empecé:

"Yo, Alessandra perdono a ... completa y amorosamente por ..." (aunque soy diestra, hacía un perdón con la mano izquierda y siete con la derecha, para limpiar los dos hemisferios del cerebro). En los primeros puntos suspensivos escribí el nombre de todos y cada uno de los que quería perdonar; en los segundos puntos suspensivos, todo por lo que pensaba que debía perdonarles. No dejé nada ni a nadie afuera.

Yo pienso que el ✿Perdón✿ es una de las *Cayenas* más sencillas, efectivas y poderosas para cambiar la vibración y siempre lo he usado para todo. Aunque creo que, en la realidad, no hay nada que perdonar, sé que de esa manera se transforma lo que está afuera.

Recuerdo que una vez que estaba preocupada por una situación con Hijo, porque lo veía muy estresado en su relación con una novia un poco dramática (ambos tenían 17 años), me dije: *"Pero, Mí Misma, ¡haz un perdón!"*. Literalmente, a los tres días, Hijo me comentó que había terminado con ella.

Luego tomé otro papel y empecé a escribir:

"Yo, Alessandra, agradezco a ... completa y amorosamente, por ..." (un agradecimiento con la mano izquierda y siete con la derecha). Y agradecí a los mismos que había perdonado. Busqué hasta encontrar algo, aunque sintiera que no tenía nada que agradecerles.

Otra *Cayena*poderosísima es...

La Gratitud

Seguro te preguntarás por qué escribir los perdones y las gratitudes y no solo decirlos o pensarlos. Aunque creo que siempre es la mente la que hace el trabajo, los rituales crean un registro externo y el subconsciente lo nota. Es como como si se imprimieran en él y de esa forma se borrara más rápidamente la memoria "podrida" que está creando el caos afuera. Yo lo veo así:

Perdón y Gratitud: el primero es la forma más rápida de traer paz; la segunda es la forma más segura de mantener esa paz.

Todos los días, una encantadora pasante de Brasil venía a mi habitación y comprobaba mis niveles de oxígeno. El viernes, ella me acompañó a caminar con Hijo. El sábado, me informó que mi nivel de oxígeno estaba mejor y, el domingo, que no necesitaba el oxígeno en absoluto.

Recuerdo que mi enfermera favorita, Mon, una maravilla de ser humano de Jamaica, que realmente tenía una vibración espectacular de esa isla del "no problem", y a quien solo verla me hacía sentir feliz, se quedó en "shock" cuando fue a mi habitación ese domingo: "Es extraordinario que te haya dejado con oxígeno el jueves y ahora ya estés respirando por tu cuenta".

"¿Viste, Mí Misma, las cosas increíbles que eres capaz de hacer cuando dejas de meterte en el medio con pensamientos caóticos?".

Sher, otra de mis enfermeras favoritas, les había enseñado a Hijo&Hija cómo ponerme las inyecciones anticoagulantes y, el domingo, Mon les enseñó aún mejor.

Estábamos todos listos. Hija se quedó conmigo ese domingo por la noche. Hijo y Esposo terminaron de preparar el apartamento para los cuatro.

El lunes, tenía mi medicamento para el dolor en pastillas, mis parches opiáceos, mis inyecciones anticoagulantes y no necesitaba ningún tanque de oxígeno. Estaba lista para irme a casa a esperar, a esperar el momento de realizar la cirugía.

Era mediodía, cuando Esposo nos recogió en la entrada del MainHospital. Mi increíble equipo de médicos se despidió. La bella Doctora Perz, que se parecía mucho a SSY, estaba allí saludándome con cariño.

Mon se ofreció a empujar la silla de ruedas y no tuvimos que esperar al chico que usualmente lo hacía. Recuerdo que ella y yo nos íbamos riendo de mi cabello, que era un completo desastre por haber estado acostada durante tanto tiempo. Al ponerme de pie, Mon me dio un gran abrazo. Casi lloré. Estaba triste por dejar el lugar donde me sentía tan cómoda, segura y protegida.

Me subí al carro y vi a través de la ventana, el cielo, las nubes... el precioso cielo de "invierno" de SunnyCity.

Llegamos a la casa. Esposo nos dejó y se fue a trabajar. Pasamos la tarde viendo una película de Disney: "Rapunzel". Ya estaba tomando mi "pain medication" en pastillas, pero me sentía un poco incómoda porque no tenía una cama como la del hospital, que podía reclinarse, por lo que Hijo puso los cojines del sofá detrás de mí para que estuviera cómoda.

No comía mucho. Casi nada, porque la enorme "cosa" dentro de mí no dejaba mucho espacio y nunca tenía hambre.

Llegó la noche y me tomé mi "pain medication". Esposo estaba durmiendo a mi lado, Hijo&Hija dormían en camas inflables en la sala.

Aquí ya no entraban enfermeras a cada momento a sacarme la sangre ni a medirme el azúcar, ni me llevaban a hacer pruebas. Así que esa fue la primera noche en que comencé a escuchar mis pensamientos, mis sentimientos, esa voz dentro de mi cabeza que estaba aterrorizada, porque no tenía certeza de nada. En realidad, nadie sabía nada.

"Ok, Mí Misma, si aún queda miedo en ti, encara tu miedo. Enfréntate a él y quítale su poder. El poder que tú le estás dando es lo único que lo sostiene. Recuerda: solo a lo que le das poder tiene poder. Ya sabes lo que tienes que hacer":

Carbonilla

Tomé una hoja blanca y un lápiz (no un bolígrafo) de mi mesa de noche y escribí:

"Tengo miedo de no sanar completamente y dejar a mis hijos".

Recuerdo que escribí todo chueco, sobre mi enorme barriga. Hubiese querido quemar ese papel inmediatamente, porque por eso uso el lápiz que es de carbón y la hoja de papel que sale del árbol de madera. Ambos desaparecen ante el fuego, y los quemo para que mi subconsciente registre que mis miedos son en realidad solo lo que se convierten al quemarse: humo y cenizas, y así vuelvan a la nada de donde salieron. Pero no podía. Los rasgué en pedacitos chiquiticos y después los boté en la poceta.

Luego en otra hoja escribí en bolígrafo:

"Yo, Alessandra, estoy feliz y agradecida porque estoy bien. Estoy completamente sana. Gracias. Gracias. Gracias"... y lo guardé dentro de uno de mis *Bestest*.

Me sentí mucho más tranquila.

Era alrededor de la 1:00 de la mañana. Tomé el control remoto del televisor y comencé a buscar algo, no sabía qué, e inesperadamente, "ahí" estaba mi querido Dr. Wayne Dyer en PBS con su conferencia "Deseos Cumplidos", la que comenzó diciendo: "Yo soy el Dr. Wayne Dyer y estoy bien".

Solo estas palabras fueron como una luz del Cielo para mí. Habló sobre los discursos de Saint Germain y de muchas otras cosas que aprendí en mis primeros libros de Metafísica. Yo sentía que todo lo que estaba diciendo estaba dirigido a mí. También fue en ese programa donde vi por primera vez a la dulce Anita Morjani y escuché su historia.

La conferencia me recordó muchas cosas que había estudiado y puesto en práctica, muchos años atrás. Entonces, esa noche me dije:

*"Mí Misma, ahora sí te acuerdas de todo. Ahora sí ya sientes a ese *Yo*, más grande que tú, que puedes usar para hacer lo que necesites. El *Yo* que estás usando ahora, el que siempre usas y el que jamás puedes dejar de usar, ese *Yo* está respondiendo a tu pensamiento ahora y creando lo que proyectas desde él. Mí Misma, ahora sí recuerdas que, si tus deseos no se están manifestando en tu realidad, es porque no los estás proyectando con convicción y que es el "retroproyector", desde tu mente subconsciente, el que hace que tu pensamiento se desvíe y bloquea el poder infinito de *Yo*.*

*En medio de este caos tan real, ya ni te acordabas del "retroproyector". Has estado "limpiando", pero muy desde tu mente consciente, y el "retroproyector" continúa haciendo de las suyas. Él está proyectando memorias "podridas" de estrés y dolor, muy negativas, que están atrayendo y creando estas limitaciones, esta enfermedad, esta situación, esta incertidumbre, esta infelicidad, este súper •drama• •drama• •drama•. Tienes que hacer las *Cayenas* con más certeza, con más confianza, con más tranquilidad y seguridad, para identificar, limpiar, borrar esas memorias".*

Me sentí muy agradecida y confiada. Me quedé dormida en paz. Esa noche, el Dr. Wayne Dyer y Anita Morjani fueron una bendición. Un regalo de Papá y Abuela desde el Cielo.

Cuando llegaba el dolor, me tomaba mi medicamento y me volvía a dormir. Si necesitaba hacer pis, Esposo me llevaba al baño y después nos volvíamos a dormir.

Por la mañana, Esposo preparaba su desayuno y me daba un poquito de papaya. La papaya, la lechosa de PequeñaVenezia, es lo mejor que puedes tomar para los tumores, para el estómago, el colon, el aparato reproductor femenino. Después de que él se iba al trabajo, Hijo&Hija se despertaban, me inyectaban los anticoagulantes y se quedaban conmigo cuidándome todo el día.

Yo hacía *Cayenas*. Leía mis *Bestest*.

Necesitaba mantener mi mente fuera de la situación que estaba viviendo y me dije a mí misma:

"Mí misma, por más espiritual que seas, estás viviendo en este cuerpo, viviendo una experiencia material y tienes que usar todos los recursos a tu alcance para distraerte del problema durante 24 horas. En el hospital te dormías viendo "Friends", pero pasabas todo el día rodeada de médicos y enfermeras; aquí solo puedes ver TV".

Así que de lunes a viernes veía novelas mexicanas (¡no había visto una telenovela en 13 años!), "Monk, Ghost Whisperer" y otros programas por el estilo. Me metía en esas historias y me olvidaba de la mía; y durante los fines de semana, veía maratones de "Psych" y me reía hasta quedarme dormida.

También trataba de ver la conferencia del Dr. Dyer al menos una vez al día.

Hijo me daba literalmente dos dedos de batido de proteínas y comencé a sentirme un poco más fuerte. Hija me ayudaba a ducharme. En realidad, ella prácticamente me duchaba sola. Yo estaba demasiado flaca y débil con esa enorme barriga. Me veía exactamente igual que Bella de la saga "Crepúsculo", cuando quedó embarazada de su hija vampiro. Ni siquiera podía mirarme en el espejo sin sentir pena por mí. Todavía no sé cómo Hija podía bañarme sin darle grima.

En esos días, una persona muy querida que solía llamar SD contactó a Hija, desde PequeñaVenezia, porque su mamá, Amx había soñado que yo estaba en un hospital; así que, por la confianza, decidimos contarle lo que estaba sucediendo. Solo unas pocas personas se habían enterado.

SD empezó a enviarme un mensaje de texto por las noches, con un contenido de fe y cuando me despertaba con dolor para tomar el medicamento, lo leía y me sentía reconfortada. Estaba realmente agradecida por sus mensajes, siempre lo estaré.

Recibí apoyo incondicional y oraciones de los pocos que sabían lo que estaba pasando realmente. Solo quería que lo supieran aquellos que creyeran firmemente en los milagros. Necesitaba personas de fe. No quería gente negativa.

Estaba clara en que mi vida estaba en peligro cada minuto de cada hora de cada día todos los días y que necesitaba un milagro para mantenerme viva. Por mi parte, yo estaba haciendo todo lo que podía y sabía qué debía hacer para obtenerlo.

Seguimos esperando el día de la cirugía...

Yo me sentía agradecida por el amor y la atención que recibía de Hijo&Hija. Yo no quería ser una carga para ellos. Quería un milagro completo. No quería que Hijo&Hija pasaran su vida cuidándome. Esto era algo que me preocupaba demasiado.

Había pasado casi un mes y estaba más fuerte. Podía ir sola al baño, sin dejar que la enorme barriga se interpusiera en mi camino. Me bañaba con Hija acompañándome, pero haciendo casi todo sola.

Por las mañanas, miraba los aviones a través de la ventana, desde mi cama y, sin entender el porqué, eso me daba una gran paz. Muy dentro de mí, me preguntaba si volvería a viajar en ellos.

Teníamos como una rutina. Esposo trabajaba, Hijo&Hija me cuidaban. Ambos detuvieron sus vidas para cuidarme, para estar para mí.

Esto es algo que los padres hacen por sus hijos o los esposos entre ellos, pero yo tuve la bendición de que Hijo&Hija lo hicieran conmigo y, nunca jamás podré expresar con palabras los sentimientos de amor y protección que me hicieron sentir. Fueron una manifestación externa, total y perfecta del amor completo y absoluto que está dentro de cada uno de nosotros, pero que no todos demuestran, que no todos comparten, que no todos dan, que no todos dejan salir como lo hicieron Hijo&Hija.

Yo tenía mucha fe, pero a veces me sentía cansada de esperar. El tiempo pasaba muy lento y parecía que el día de la cirugía no llegaba nunca.

Mi cumpleaños llegó. Ese día, recibí muchos bellos deseos por Facebook, BlackBerry (era lo que existía en esa época), de personas que no sabían lo que me estaba pasando. Y sucedió algo que es irrelevante para esta historia, pero que me sacudió y provocó un sentimiento diferente. Algo que me recordó muchos sucesos dolorosos y hasta una situación que, en algún momento, me hizo sentir como si yo no tuviese derecho a ocupar un espacio. Me enfrentó al sentimiento de ser merecedora de lo que me estaba pasando, porque en algún momento había dicho cosas "malvadas", cuando había sentido que me habían lastimado profundamente. Como en mi cabeza, "eso no se debe hacer", porque no me gusta juzgar y siempre pongo todo en manos de la Justicia Divina, me había cargado de culpa y la culpa buscó castigo, hasta el punto de crearme una enfermedad mortal y había caído en un círculo vicioso de donde no terminaba de salir.

El dolor emocional que se movió ese día dentro de mí también me recordó que era inocente y que tenía que dejar de castigarme hasta la enésima potencia, como lo estaba haciendo; que tenía que parar de crearme esa cantidad de cosas tan crueles y dolorosas. Por ello puedo decir, con propiedad, que incluso las peores cosas pueden conducir a algo mejor, inspirador, motivador, revelador y hasta transformador.

Yo había aplicado muchas *Cayenas*, pero no había aplicado lo que yo sé que es lo primero que debe hacerse. Entonces me dije a mí misma:

"Mí Misma, hay personas que nunca aceptan su responsabilidad en lo que les sucede. Se la pasan

buscando culpables en el pasado, en los padres, en los antepasados, en las vidas anteriores... en la pareja, en los amigos, en la familia y hasta en los hijos y pasan toda la vida echándoles la culpa a todos y a todo a su alrededor, como C3PO le echa la culpa de todo a R2D2, y por eso nunca salen de su papel de víctimas y nunca cambian nada.

*Mí Misma, tú no eres de esas personas. Eres todo lo contrario. Tú asumiste tu responsabilidad en la creación de esta situación, perdonaste todo y a todos; hasta al primer heladero de tu infancia que te dijo que no había "pastelado", después de haberlo esperado por una hora. Pero te olvidaste de lo primero que aprendiste, ¡te olvidaste de perdonarte a ti misma! Te olvidaste de lo que siempre te he dicho: ***No te metas con Alessandra***. Por favor, ¡ya basta de ser "María Culpable"!*

¿Por qué siempre tienes que ser tan dura contigo?, tan intransigente. Para ti resulta muy fácil perdonar a los demás, pero tú te juzgas como en una corte marcial. Es hora de que veas la pureza de tu corazón. Cualquier cosa por la que te sientas culpable, sea lo que sea, Dios no te está juzgando. Entonces, ¿por qué te vas a juzgar tú? Recuerda: "Dios no perdona, porque nunca ha condenado" (UCDM). ¿Por qué te vas a condenar tú?

No viniste a esta vida a ser una luchadora, ni una guerrera, ni una heroína. Viniste a ser lo que Dios te hizo, Su hija amada y consentida".

Tomé un lápiz y empecé a escribir:

"Yo, Alessandra, me perdono a mí misma,

completa y amorosamente por...".

El 26 de febrero del 2012, empecé a hacer lo que debí haber hecho primero que nada y a mirar todas las cosas de una manera diferente, y más que nunca, reafirmé en mi mente: *"Mí Misma, incluso en esta situación tan difícil, sigues siendo responsable de vivir tu vida"*.

Ese día me sentí triste, pero también me vi con compasión y comprensión. Dejé de castigarme, juzgarme y reprocharme. Me amé incondicionalmente. Me acepté. Me perdoné. Soplé mis velas, deseé salud y me dije: *"Mí Misma, ¡Feliz cumple! ¡ESTÁS VIVA!"*.

Había llegado el momento de ir al hospital a hacerme los exámenes y que dieran el consentimiento para poder someterme a la cirugía: pruebas de sangre, radiografías, resonancia magnética, tomografía, ver al equipo respiratorio y a los médicos de ginecología y oncología.

Fui a mis citas, y la espera para que me atendieran y todo ese movimiento con la enorme "cosa", empeoró el dolor. Llamé a Dra. McGorgeous y tuvo que duplicar mi dosis de "pain medication".

¡Y al fin me dieron la fecha de la operación!! 8 de marzo.

El día 4, el dolor era tan terrible que la Dra. McGorgeous me dijo que fuera a la sala de emergencias para que me ingresaran en el hospital a esperar la cirugía. Esta vez nadie pudo quedarse a dormir conmigo porque me pusieron en una habitación con otra persona. Era una mujer. Se iba a su casa esa noche y estaba con su madre. Tenía una condición y necesitaba que alguien fuera a su casa para hacer algo con ella. No quise saber qué.

Me sacudió su estado y pensé: *"Mí Misma, tú no vas a poner a Hijo&Hija en esa situación de pasar sus vidas cuidándote. Ya sabes, cualquier cosa te vas rápido como Papá".*

La mamá de la señora comenzó a hacerme preguntas y me dijo algo como: "Tienes algo malo de verdad". Me sentí terrible por sus palabras; ella era la voz de mis miedos más profundos. Me dije: *"Mí Misma, vivir con miedo es como vivir a medias. Es una vida medio vivida. Si no importa cómo estabas antes, si no importa dónde estabas antes, tampoco te preocupes por cómo estarás ni dónde estarás después. Estás viva, estás aquí y "aquí" es bueno".*

Se fueron y entró una enfermera y vio mi cara. Era la enfermera que me había hecho la transfusión cuando llegué al MainHospital, la primera vez. Le conté lo que las otras mujeres me habían dicho y ella dijo que esas mujeres siempre estaban en el hospital diciendo impertinencias y que se enfermaban de algo nuevo a cada rato. Que eran personas raras y que no sabían nada, que no les hiciera caso, que todo iba a estar bien.

Los días pasaron como en cámara lenta. Al irse mi primera acompañante, pusieron a mi lado a una agradable mujer. Ella tenía que someterse a una cirugía para un pequeño quiste.

Hijo&Hija venían todos los días y pasaban el día conmigo. Por la noche, los médicos me hacían las pruebas. Tenía mi medicación para el dolor y estaba tranquila, pero no como la primera vez, cuando Hijo se quedaba acompañándome las 24 horas del día. No me sentía tan segura como antes.

La noche previa a la cirugía me llevaron a hacerme una resonancia magnética, y la persona a cargo de ponerme el yodo para el contraste, me trató muy feo. Creo que él y dos enfermeras fueron los únicos que, en algún momento, no me trataron bien en MainHospital. Le pedí que tomara otra vena porque me estaba lastimando y respondió que no iba a perder tiempo conmigo: "¿Qué te pasa? ¡Relájate! ¡Estás muy nerviosa!", dijo en un tono pedante y grosero, sin hacerme caso. Entonces, cuando estaban haciendo la resonancia magnética, el catéter explotó y me mojé toda con el yodo y el líquido. Todo mi cabello, que Hija había lavado tan cuidadosamente, estaba cubierto con ese líquido pegajoso.

Me sentí horrible en ese momento. Creo que estaba empezando a sentir la presión. Habían terminado el estudio y me sacaron del cuarto de exámenes para que esperara al camillero que me llevaría a mi habitación. Eran alrededor de las 2:00 de la mañana. Todos los exámenes de ese tipo los hacían siempre en la noche y la madrugada, cuando el hospital estaba cerrado al público. La cirugía iba a ser en unas horas.

El camillero que vino por mí era mi favorito, muy

educado y considerado, con un espectáculo de voz con la que cantaba maravillosamente. Incluso había hablado con Hijo sobre música cuando estuve en el hospital la primera vez. Me vio y me preguntó: "¿Estás bien?", y cuando vi su cara no pude evitarlo y comencé a llorar y le conté lo que había pasado.

Me contestó que le diría algo al que había hecho la resonancia magnética. Pero el camillero era un hombre afroamericano de más de dos metros de altura y, en mi mente, lo imaginé hablando con el hombre de un metro que me había hecho la resonancia. Y entonces pensé que lo podría matar de un ataque al corazón solo por preguntarle por qué me había tratado de esa manera, y por eso le pedí que no hiciera nada.

Me llevó a mi cuarto. Estaba tan pegajosa y triste. Hice *Cayenas*, pero no pude dormir.

A las 5:00 de la mañana, una enfermera, no de mis favoritas, me vino a preparar. A las 6:00, me llevaron al ala preoperatoria del hospital, donde tenía que esperar.

Un joven anestesiólogo me hizo muchas preguntas. Todos los médicos estaban reunidos, incluso otra cirujana de la unidad, a quien yo solo había visto una vez. Durante todo el proceso, mi doctora McGorgeous había sido la que se había encargado de mí. Incluso me había dado su número personal cuando me fui a la casa. Se había comportado conmigo de una forma extraordinaria, más allá de sus deberes, así que yo no entendía que tenía que hacer esta otra doctora allí, que ni me conocía.

Yo estaba esperando y la otra cirujana de la unidad me informó que debía someterme a otra intervención, pero de mis pulmones. Me alarmé: "¿¿¿??? ¿Qué???? ¿De qué estás hablando? ¿Quién va a realizar esa operación? ¿Por qué no me lo dijeron antes...?"

Todos se quedaron sorprendidos con mi reacción. Me preguntaron si el médico no había ido a verme y lo llamaron por teléfono para que hablara conmigo.

Esa fue la primera vez que sentí que mi vida estaba en un peligro real en ese hospital. Las lágrimas cayeron por mi cara mientras me hablaban y recuerdo que vi los ojos de mi Dra. McGorgeous llenos de compasión y comprensión.

Los médicos se alejaron para hablar. Hijo&Hija estaban a su alrededor tratando de escuchar. Esposo estaba sentado a mi lado.

En ese momento, le dije a Esposo, llena de desesperación: "Por favor, si muero cuida de Hijo&Hija. Júrame que lo harás", y otras cosas que no recuerdo. Fue otro momento de esos que solo había visto en las películas y que no creía nada real... Pero ahora yo lo estaba viviendo.

Los médicos se acercaron a mí y me dijeron que iban a posponer la cirugía para el día siguiente, y que de esa forma podría conocer al doctor de la unidad respiratoria que iba a realizar la otra cirugía.

Me enviaron a mi habitación nuevamente. Nos quedamos en ella todo el día. Hija me ayudó a ducharme y pude lavarme el cabello. Kar, otra chica del AofL, vino a hacerme una bendición. Me sentí muy agradecida. Hija me secó el cabello precioso, mientras una joven médica de la unidad respiratoria me hacía una serie de preguntas. El cirujano respiratorio había venido antes.

Esposo, Hijo&Hija fueron a comer y me trajeron una deliciosa comida. Comí muy poquito, pero me gustó mucho.

Mi Dra. McGorgeous también vino a revisarme.

Había sido una tarde extraña pero muy, muy tranquila.

Familia se fue a casa. Yo estaba lista para descansar. Les dije que guardaran el control remoto del televisor porque iba a hacer *Cayenas* y luego a dormir. Según mis instrucciones, lo dejaron en la mesa que estaba lejos de mí.

La enfermera me sacó más sangre. Me realizaron tantos análisis de sangre que incluso ni ella entendía por qué.

Tenía mi teléfono celular y mi pulsera de *Cayenas*. Era una con todas las cosas que me recordaban todo lo que necesitaba en ese instante, como anclas que usaba si necesitaba salir de algún pensamiento caótico de •drama• •drama• •drama•. Yo no creo en los amuletos como tales. Pienso que el único poder que tienen es el que les damos con nuestra mente y que funcionan porque nos permiten poner la atención en la protección del Gran Poder de Dios.

Esa noche, cuando estaba haciendo *Cayenas*, sentí una energía fortísima a mi alrededor... y a

Papá; percibí su deliciosa colonia inglesa "Atkinson", que había usado siempre.

Esa colonia que Mamá contaba que me había salvado la vida. Yo nací con algunas alergias de piel y los doctores no quisieron vacunarme; solo tenía la vacuna contra la poliomielitis, así que contraje tosferina a mis cuatro meses de edad. En una crisis muy grave durante la enfermedad, Mamá contaba que "volteé los ojos", es decir, que morí, y ella me soltó desconsolada en los brazos de Papá. Él, desesperado, me echó su colonia para reavivarme y cayó un poco en mis ojitos, lo que me hizo reaccionar del dolor, vomitar lo que me estaba asfixiando y volver a respirar.

Entonces como dije, percibí su colonia bendita y en mi mente, le pregunté: "¿Papá, realmente eres tú o es mi imaginación?".

Y sucedió una cosa increíble. La televisión se encendió y la canción "O sole mio" estaba sonando. La cantaban tres chicos italianos con unas voces extraordinarias, que luego supe que se llamaban "Il Volo".

Papá solía cantarme esa canción. Lloré de alegría y no dudé más. Papá estaba conmigo.

A la mañana siguiente, mi Dra. McGorgeous llegó muy temprano. Me dijo que mi cirugía sería a la 1:00 de la tarde. Me preguntó si necesitaba algo de ella. Le dije que por favor les contestara todas las preguntas a Hijo&Hija, porque el día anterior habían tratado de hablar con la otra cirujana y les había dado la espalda, y que la paz y tranquilidad de ellos era lo único que realmente me importaba. Le pedí que, por favor, no hablaran de cosas negativas mientras se realizaba la cirugía y elegimos la música que pondrían durante la misma, en su teléfono celular.

Ella me explicó que el tumor era muy grande y dibujó, en una hoja, la figura de un cuerpo donde la "cosa" estaba tocando todos los órganos; mencionó que iban a tener que cortar todo lo que estuviese tocando. También hizo énfasis en que tendríamos que hablar sobre el cáncer y lo que haríamos después de la operación.

Le dije: "Pero puede que no sea cáncer", y ella replicó: "Pero es"; y repetí: "Pero puede que no sea", y ella insistió: "Pero sí es"; y yo tercamente reiteré: "Pero, puede que no sea"; y ella finalmente concedió: "Ok, puede que no sea". Me sonrió y se fue.

Llegó Familia y abrí mis Cartas de Ángeles. Solo aparecieron cartas de sanación. Abrí *UCDM*; Hijo&Hija me lo leyeron. Sentí que sus palabras decían que iba a tener un renacimiento: Mi Milagro. Mucho después ellos me contaron que su interpretación era que yo me iba a morir.

Por cierto, si no lo has notado, ¡estoy viva!

Una enfermera vino a mi habitación y me llevó al área de cirugía. Me entregué.

Oigo voces... ¡Noooo! Estaba tan feliz allá. Tan descansada. El lugar más tranquilo en el que he estado en toda mi vida. Yo quería permanecer en "ese lugar". No recordaba ningún pensamiento, nada. Solo la increíble, perfecta, pero sobre todo indescriptible sensación de paz.

Dijeron mi nombre y que me iban a sacar algo de la garganta. Me desperté.

Llamaron a Familia.

Los vi...

Recuerdo claramente los ojos de Hijo&Hija, llenos de inmensa paz y felicidad mientras me hablaban. Parecían bañados de luz.

Me dijeron que había salido muy bien de las dos cirugías que me habían realizado casi simultáneamente: la exploración en los pulmones y la de extraer la "cosa". Que tenía que permanecer en la sala de recuperación y luego me pasarían a Cuidados Intensivos, en cuanto tuvieran espacio para mí.

El Dr. SuperSage fue a verme, con una enorme sonrisa de alegría por el resultado de la intervención y a comprobar si ya Familia me había dado la noticia.

Hijo me dijo que la Dra. McGorgeous y el Dr. AstNice (el oncólogo, que también era un ser humano increíble), les habían comentado que, de todos los cánceres, este era el menos malo. Que no había tocado ningún órgano y que pudieron extraerlo fácilmente. Que era como si todos los órganos le hubiesen abierto espacio a la "cosa" para crecer. ¡¡Que pesaba 5 kilogramos y tenía 22 centímetros de longitud!! y que nunca habían visto algo así. También que me iban a poner quimioterapia después.

Estaba confundida. No entendía. No quería ninguna quimioterapia. El dolor volvía. Me dijeron que me habían mantenido dormida durante más de 24 horas. Familia se fue y yo era la única paciente en la sala de recuperación. No podía dormir. Una de mis médicas favoritas de mi primera vez en el hospital, la Dra. Perz, fue a visitarme y me dio algo para descansar.

Dos enfermeras tuvieron que llevarme al área de trauma esa noche, porque no podía quedarme en la sala de recuperación y no había espacio para mí en C.I. Me trasladaron de un ala del hospital a otra. Siempre que me paseaban por esos lados, me encantaba. Lo hacían para llevarme a hacer pruebas durante la noche y la madrugada y los pasillos eran muy bellos, con obras de arte: cuadros en las paredes y esculturas. Estas dos mujeres, incluso, me llevaron por fuera y vi el cielo. Recuerdo que pensé que estaban locas por llevarme por ahí. ¡Por Dios Santo, tenía un tubo en el pulmón! Sin embargo, solo confié en Dios y seguí esperando Mi Milagro. Para mí, todavía no había ocurrido.

En el área de trauma, me pusieron de lado y me dieron algo para soplar. Yo solo quería dormir y no podía. Había un reloj en la pared y yo seguía mirándolo. Alrededor de las 3:00 de la mañana, me llevaron a C.I. Un enfermero llamado Carlos me recibió. Carlo es el nombre de Papá. Me sentí segura. Una gentil enfermera y Carlos me limpiaron y me conectaron a una pared de pantallas. ¡Esa cama es la mejor en la que he dormido en mi vida!! Incluso mejor que las de Hilton Family, que para mí son lo máximo. Dormí.

Por la mañana, los médicos del grupo respiratorio vinieron y me quitaron el tubo del pulmón. Fue horrible. Salió literalmente un chorro de sangre y me cosieron la herida tan chapuceramente que parecía el amarre de un bollo navideño de PequeñaVenezia.

Estaba cortada en dos mitades desde aproximadamente 7 cm por debajo del esternón hasta el pubis, y tenía un agujero en el pulmón derecho.

Estuve en C.I. por cuatro días. Familia venía a verme todos los días. Mi Dra. McGorgeous, sumamente cariñosa como siempre, vino una mañana y me informó que me iban a trasladar a una habitación. También me dijo que iría a verme más tarde y hablaríamos.

Me trasladaron a una habitación y ella vino después de un tiempo con un grupo de médicos.

Entonces dijo: "Quiero decirte que todas las pruebas indicaron que no era un carcinoma...".

No puedo decir lo agradecida que me sentí. Pensé: "Ahora tengo Mi Milagro". Sin embargo, luego la doctora me dijo que le iban a hacer algunas pruebas más a la "cosa" y necesitaban más de mi sangre. Agregó que me iban a poner una quimioterapia preventiva en un mes.

Ese no era el milagro que había pedido. No entendía lo que estaba pasando.

Hijo&Hija se quedaban conmigo durante el día y comencé a sentirme terrible. Muy adolorida y débil, muy muy débil. Caminaba por el pasillo de afuera de la habitación apoyada en una barra en la pared, pero era muy difícil. Pedía medicamentos para el dolor y me daban algo diferente. Estaba completamente fuera de balance. Muy muy flaca. Solo 44 kilos, y ya yo era delgada con 62.

Una tarde tenía mucho dolor y no me dieron el medicamento. Una de mis enfermeras favoritas, Sher, me dijo que acostumbraban a hacer eso, que cortaban la morfina de un solo golpe. Vomité y no pude comer nada. Caminé, pero no fue fácil. Le envié un mensaje de texto a la Dra. McGorgeous, pero no me respondió. Me dormí con el dolor y cuando desperté me di cuenta de que lo que pasaba era que había desarrollado una adicción por la morfina, pues la había estado tomando durante todo ese tiempo, cada cuatro horas, en la dosis más alta. La enfermera vino y me dijo que tenía una orden para ponérmela y le dije que no la quería. Me aguanté el dolor.

Solo quería salir del hospital. Estaba medio loca, como desesperada. Llamé a la Dra. McGorgeous y no vino. El oncólogo me dijo que él podía firmarme el alta si yo no quería esperar a la doctora y le pedí que lo hiciera. Era de noche. Esposo nos recogió. Vi el cielo. Me sentía muy rara. Vomité tan pronto como entré en el ascensor de nuestro edificio, en ese recipiente que te dan en el hospital que parece un riñón.

Llegué a la casa y me apareció un sentimiento diferente: me sentía muy triste. Cuando cerraba los ojos, veía destellos de luces que todavía no sé de dónde venían. Sudaba todas las noches. Necesitaba cambiarme más de siete franelas cada noche. Hija las ponía en la mesita a mi lado junto con toallas, alcohol y una bolsa donde poner las usadas. Pasaba todas las noches cambiándome de ropa con desesperación y durante el día me sentía aún más triste.

Trataba de hacer una *Cayena*, la misma que justo estaba haciendo cuando sentí a Papá la noche antes de mi operación; una que instintivamente uso desde pequeñita y me calma y da paz, que consiste en colocarme las dos manos sobre el corazón y sobarlo circularmente, pero sin levantar las manos, más bien moviendo la piel, un rato hacia un lado y luego hacia el otro. Pero con la cicatriz, me era difícil hacerla sin lastimarme. Tenía dolor; sin embargo, no tocaba ninguna pastilla, ni los opioides. Recuerdo que hablé con mi prima MG, que se acababa de enterar de mi situación, y ella me aconsejó que tomara por lo menos un analgésico, porque eso me iba a ayudar, pero yo estaba reacia. Estaba harta de depender de medicamentos.

Aunque sabía que estaba mejor, tenía un raro sentimiento dentro de mí.

Esperaba ver a los médicos un mes después para que me contaran sobre la quimioterapia.

Un día, les dije a Hijo&Hija que no permitiría

la quimioterapia. Que Dios no hacía milagros incompletos, y se enojaron conmigo. Me contestaron que yo tenía que hacer lo que dijeran los médicos. Sin embargo, yo no sentía que la necesitaba y no la quería. Me sentí fatal ese día. Estaba deprimida, triste, vulnerable e irracional. Me sentí muy sola, aislada, lastimada, incomprendida y dolida, como nunca en mi vida. También mi colon e intestinos estaban sin el efecto de los opioides y su "despertar" fue extremada e inexplicablemente doloroso.

Hijo llamó al hospital y le dijeron que me llevaran para someterme a desintoxicación y terapia: estaba sufriendo de estrés post traumático más adicción a la morfina. El edificio del centro de desintoxicación estaba en la Unidad de Psiquiatría del MainHospital y me da risa recordar que, cuando íbamos en el carro a hacerme los exámenes preoperatorios, vimos que este quedaba justo enfrente y que Esposo, Hijo&Hija jugaban diciéndome que yo estaba loca y me iban a meter ahí. Y de verdad ¡ese era el sitio donde me iban a meter!

No me dejé. Yo les dije a Hijo&Hija que no iba a volver al hospital. ¡Que no y que no!

Por esos días, estaba en contacto con una muy buena amiga con quien había hecho "Rebirthing" varios años atrás y me contó que estaba leyendo sobre una nueva herramienta. Me dio el nombre y comencé a buscarla inmediatamente.

La encontré en internet y la compré. Mientras tanto, solo lloraba e intentaba ser fuerte. Familia no entendía por qué no estaba feliz y agradecida, y yo tampoco. No podía evitar sentirme así. Las *Cayenas* no me ayudaban. Mi música favorita no me ayudaba; ni siquiera mis películas favoritas. Empezaba a llorar de la nada y sentía mucha lástima por mí.

Días después, comencé a aplicar la nueva *Cayena* y el dolor físico y el dolor emocional comenzaron a pasar. Me sentí calmada y centrada. Recuperé mi paz. Confié de nuevo en mí y en Dios. ¡Por fin tenía hambre! ¡Quería pizza! ¡Quería helado! A solo diez días de estar usando la nueva *Cayena*: mis amados...

Healing Codes

... del Dr. Alex Loyd. Esos 6 minutos extraordinarios que sirven para sanar la fuente de cualquier tipo de problema: salud, éxito, relaciones personales... de una forma relajada y sencilla, solo señalando con los dedos ciertos puntos de la cara (frente, garganta, mandíbula, sienes), después de una oración corta.

Yo he aprendido y practicado muchas técnicas durante mi vida, de muchas culturas y corrientes de pensamiento: EFT, Renacimiento, Pranayamas, Kriya, "I", etc., pero, los Healing Codes fueron mágicos. De hecho, Hijo llegó a decirme después lo mismo: "Mamá, yo te he visto hacer muchas cosas, pero nunca he presenciado un cambio tan impresionante y rápido como éste".

Llegó el día de la cita en el hospital. Esa fue la primera vez que Hijo&Hija no fueron conmigo. Ellos estaban molestos porque iba con toda la intención de decirles a los doctores que no me iba a hacer la quimioterapia, y, yo, por mi parte, estaba molesta con ellos porque no me creían cuando decía que estaba segura de que no la necesitaba. Fuimos solo Esposo y yo.

Llegamos. Entré sola al consultorio y una doctora que no conocía (en el hospital rotan los médicos todos los meses) me pidió que me pusiera la bata que me iba a examinar y que también necesitaba hablar conmigo. Esto último con una cara de preocupación. Entré en pánico y le dije que tenía que ir al baño donde aproveché para enviarle un mensaje a Esposo hablándole de la cara de la doctora. Él me respondió: "¿Y tu fe?".

*"Mí Misma, ¿qué vas a responder? Con todo esto que has vivido, ¿cuál es *Tu Convencimiento* ahora?".*

MI CONVENCIMIENTO

"Cuando creas en algo, créelo hasta el final, implícita e incuestionablemente".

– Walt Disney.

Mi Convencimiento es que yo pienso algo y con ese pensamiento creo una emoción y con esa emoción emito una vibración y esa vibración crea lo que sucede en mi cuerpo y a mi alrededor.

Mi Convencimiento es que, aunque debería darme miedo tanto poder, yo asumo mi responsabilidad y no me quedo en la culpa, porque pienso que al final es una bendición saber que, si yo creo algo, lo puedo cambiar y lo acepto con gratitud.

Mi Convencimiento es que por cada pensamiento del que soy consciente, hay "chorrocientos" mil detrás en mi subconsciente, de los que no tengo ni la más mínima idea. Hay demasiadas memorias "podridas" que están sepultadas en ese lugar y que no puedo cambiar solamente repitiendo y repitiendo afirmaciones, pues no todas las afirmaciones funcionan para mí, ya que no todas se relacionan directamente con mis memorias "podridas".

Mi Convencimiento es que solo las afirmaciones que yo siento naturales me funcionan. Igual que los famosos mapas del tesoro, solo me sirven si me conectan con mi poder de crear; porque, si no, solo me recuerdan lo que "no tengo", pero "podría tener" y se convierten en un deseo que se mantiene en el futuro; y ese futuro nunca llegará, porque nunca estoy en el futuro: vivo en un eterno presente. Yo tengo que sentir que lo que quiero ya es mío, ya es mi realidad, y quedarme anclada a ese sentimiento de satisfacción. Tengo que estar relajada y en paz y no ansiosa, sino tranquila. Confiando sin preocuparme.

Mi Convencimiento es que lo mejor es no revolver el pasado, porque así sea muy bueno, siempre tiene al menos una ínfima memoria "podrida".

Mi Convencimiento es que solo puedo poner en mi futuro lo bueno, si me desconecto de la negatividad de mi presente, del estrés, diciéndome "Ssshh" cuando tenga pensamientos de •drama• •drama• •drama• y desviando mi atención a *Yo* y a cosas positivas que me mantengan en paz.

Mi Convencimiento es que cuando algo caótico, fuera de mi control, sucede debo hacer todo lo que esté a mi alcance para mantener mi vibración alta, valiéndome de cualquier medio: escuchando música, viendo videos, leyendo libros, viendo series y películas que me gusten, me inspiren, me pongan contenta y pongan una sonrisa en mi cara.

Mi Convencimiento es que debo romper con todos los patrones que de alguna manera y en cierto momento me hayan llevado a crearme un •drama• •drama• •drama•.

Mi Convencimiento es que minuto a minuto debo reafirmar lo que sé y, aún en medio del caos, debo hacer lo posible por crearme un mundo pacífico y amoroso donde sanar, limpiar, cambiar.

*Mi Convencimiento es que todo lo malo que le puede pasar a mi cuerpo es causado por el estrés, la ira, la culpa, las recriminaciones, la falta de perdón, la falta de amor propio, etc., y que no importa mucho cuán saludablemente me esté alimentado ni cuántos buenos hábitos tenga, porque lo primero y más importante es la paz de mi mente y la felicidad de mi corazón. Que absolutamente nada que me cause estrés es saludable y que lo único que importa es lo que yo crea, porque eso es lo que manifiesto, atraigo y creo.

Mi Convencimiento es que no consigo nada tratando de apurar las cosas, ni modificando los pensamientos, sino entregando todo a Dios y confiando, porque al final, palabras, pensamientos y acciones son conceptos e interpretaciones del ser humano, y para encontrar mi bien tengo que volver al silencio, donde el cuerpo y todas mis memorias "podridas" no pesan.

Mi Convencimiento es que en lugar de imprecar por lo que no puedo controlar, simplemente debo apreciar lo que tengo delante, así parezca muy poco o nada alentador. Que cuando sucede algo, lo que sea, no tengo que buscar las soluciones afuera, ni desesperarme, porque con eso solo creo más •drama• •drama• •drama•, y que "allá afuera" no hay nada que buscar. Absolutamente nada.

Mi Convencimiento es que tengo que quererme siempre, así me sienta mala o buena, débil o fuerte, incapaz o capaz, bonita o fea... porque si no me creo digna de mi propio amor todo el tiempo, si no me amo incondicionalmente, entonces, ¿qué valor tiene el amor que poseo?, ¿qué valor tiene el amor que les doy a los demás?

Mi Convencimiento es que puedo aceptar creer cualquier cosa, pero a veces lo que creo que creo no es lo que realmente profeso y por eso no manifiesto lo que quiero. Que desde mi subconsciente estoy proyectando una película cuya trama desconozco y que en verdad no me interesa: ya es un trabajo forzado de 24 horas cada día de la semana ocuparme de los que sí tengo claros, por lo que no tengo tiempo de buscar lo que está detrás de eso. Así que solo me interesa *limpiar* y para eso son mis *Cayenas*.

Mi Convencimiento es que si se presenta un momento de •drama• •drama• •drama• debo hacer *LA LIMPIEZA* en mí, como la del clóset, que le gustaba hacer a Mamá. Sacar todo, limpiar, regalar, botar lo que ya no sirve, lavar, arreglar y guardar en su lugar lo que sí me es útil, y hacer que mi mente y mi corazón queden resplandecientes, hasta que ame "ese clóset" y me encante contemplarlo; hasta que quede como la tienda favorita de Hija y yo, en nuestro centro comercial favorito cuando vivíamos en PequeñaVenezia: ¡impecable y de lujo!

Mi Convencimiento es que mi seguridad está dentro de mí, porque La Divinidad está dentro de mí, y que ese "buffering", esa espera que a veces parece interminable, como la de antes de operarme, es por y para un fin. Porque, como dice UCDM: "Los milagros son posibles, pero antes es necesaria una purificación". Y acepto lo que dice el Eclesiastés: "Todo tiene su tiempo"; así que espero paciente y, mientras, perdono a todos y lo perdono todo, para purificarme. Me perdono a mí y envío amor adonde pienso que lo he retenido, que lo he negado.

Mi Convencimiento es que jamás debo culparme

ni crearme castigos para no caer en un círculo vicioso y que tengo que soltar y dejar ir todo. Dejar el pasado atrás, olvidarme del futuro y entregarme al presente, al ahora.

Mi Convencimiento es mantenerme en un intenso Masticar Chicle como MC y así evitar escuchar todo lo que me mueva demasiado, me saque de mi paz y pueda atrasar mi proceso. Siempre mantenerme desconectada de la fatalidad, porque sé que no hacerlo solo crea estrés y atrae más fatalidad.

Mi Convencimiento es que debo parar todo juicio hacia todo y hacia todos. Solo debo enfocarme en ver la presencia de Dios en el corazón de cada persona que me encuentre y en cada situación que se me presente; incluso durante el tiempo más estresante y lleno de incertidumbre, porque todo en lo que yo enfoco mi atención se manifiesta o se hace más grande.

Mi Convencimiento es que jamás debo dudar del Amor de Dios hacia mí, porque dudar es darle poder a lo que no quiero y darle la espalda a Mi Milagro. Así que quito mi atención de todas las apariencias y las identifico como irreales, como ilusiones, que no tienen ningún poder ante *Yo* en mí.

Mi Convencimiento es que debo siempre tratar de estar en total tranquilidad, hasta en los momentos más turbulentos, y dejar a un lado esa renuencia y terquedad que tantas veces tengo a usar el Poder de Dios y hacer lo que sé que es mejor para mí.

Mi Convencimiento es que Dios nunca se ha dejado de comunicar conmigo. Que, así como lo hizo con los profetas, sigue comunicándose para que lo busque a Él en mi mente y en mi corazón y allí lo encuentre, como hizo mi Amado Jesús, y que Él me habla a través de mi intuición. Yo puedo escucharlo cuando callo mis pensamientos, cuando me relajo en Él y confío.

Mi Convencimiento es que todas las *Cayenas* son un regalo de Dios y por eso las recibo y las comparto con tanto amor y gratitud y siempre me abro a aprender nuevas.

Mi Convencimiento es que todas las religiones son diferentes, pero muy en el fondo todas enseñan lo mismo: relájate, confía, Dios está en control y te ama. Acostúmbrate.

Mi Convencimiento es que el ser humano convenientemente se olvidó de la parte de la Biblia que habla del libre albedrío, porque es más fácil para él culpabilizar que responsabilizarse de sus creaciones y acusar a Dios cuando no encuentra a nadie a su alrededor a quién echarle la culpa.

Mi Convencimiento es que el ser humano ha archivado memorias catastróficas por "chorrocientos" millones de años en su subconsciente, y las recrea una y otra vez, mientras culpa a Dios, en vez de limpiarlas y sanarlas.

Mi Convencimiento es que el ser humano quiere una sola *Cayena* que le dé una solución rápida y efectiva, que trabaje de una vez por todas y cambie su vida para siempre. Sin embargo, las cosas que no nos gustan, que no queremos, pueden aparecer, y es en esos momentos, cuando más tenemos que aplicar las *Cayenas* que conocemos. La vida es la vida y hay que seguir viviéndola, pero es confiando en el Amor y la protección de Dios, como conseguimos el sentimiento de paz que nos saca suavemente de esas situaciones de •drama• •drama• •drama•.

Mi Convencimiento es que, si hablo y me quejo, hago tanto ruido que no puedo escuchar mi intuición y que, definitivamente, quejarme de la vida, no la mejora.

Mi Convencimiento es que hay sitios donde puedo sentir más a Dios, como la playa o cuando veo el cielo, y que también hay otras partes de la Tierra que me dan una paz subliminal, porque el pensamiento del hombre no las ha cargado de memorias "podridas".

Mi Convencimiento es que siempre debo confiar y creer que, en cualquier situación, así no lo parezca, todas las opciones, son bendiciones.

Mi Convencimiento es que puedo pedirle al Universo todas las señales, pero que al final, solo veo lo que quiero ver, cuando estoy lista para verlo, si es que en algún momento quiero realmente estar lista.

Mi Convencimiento es que cuando le pido algo al Universo y me relajo, sin ansiedad, la mayoría de las veces simplemente aterriza en mi regazo.

Mi Convencimiento es que, para tener una vida

pacífica y feliz, primero que nada, tengo que hacer de mi mente el lugar más relajado y gratificante para estar.

Mi Convencimiento es que el Dios en que yo creo es el mismo en el que creía Einstein, el Dios o "Naturaleza" de Spinoza.

Mi Convencimiento después de haber vivido todo esto es que, sin duda alguna, sí existe la *Magia Real* y consiste en ayudar a otros, como me ayudaron Hijo&Hija cada minuto de cada día, durante esos días... y que como la "Brujita" que Mamá decía que soy, mi acto de magia más poderoso es CREER...

MI MILAGRO

"y no os adaptéis a este mundo, sino transformaos mediante la renovación de vuestra mente, para que verifiquéis cuál es la voluntad de Dios: lo que es bueno, aceptable y perfecto".

San Pablo (Romanos 12:2)

— Esposo, ¿qué te provoca comer?

— No sé, creo que una carbonara.

Fuimos a un SuperWall. No había caminado tanto en mucho tiempo. Las caderas me sonaban. Compramos las cosas para hacer la salsa para la pasta y nos fuimos a la casa.

Cuando llegamos, le estaban haciendo mantenimiento al ascensor, había que esperar alrededor de media hora.

Esposo me dijo:

— Es mejor que esperemos... por tus pulmones. Son cuatro pisos.

— No quiero esperar, quiero llegar a la casa. Y pensé: *"Mí Misma, yo sé que sí puedes subir. Repite: Yo Soy la fe en el poder de Dios en mí. Vamos, en Nombre de Dios".*

Subí los cuatro pisos, sin pausa, muy "a lo Papá". Gracias a Dios.

Llegué a la casa. Hijo&Hija estaban esperando lo que iba a salir de mi boca y les conté:

"... y allí en el baño, respiré profundamente, hice una *Cayena* y volví al consultorio. La doctora comenzó a hablar. Me dijo que le habían hecho muchísimas pruebas a la "cosa" y a mi sangre y que no me iban a poner ninguna quimioterapia, ¡porque no la necesitaba!

También agregó que tenía que continuar con mis inyecciones anticoagulantes durante unos meses más y que harían el procedimiento para remover los filtros de las venas en agosto.

Me revisó los puntos de la sutura de mi cirugía de pulmón, de mi enorme cicatriz y agregó que todo estaba bien.

Yo le pregunté: "¿Por qué no me lo dijiste antes? Tu cara de preocupación me produjo un pequeño ataque de pánico". Ella me respondió que no se había dado cuenta y que lo sentía mucho, que su cabeza estaba ordenando la información que le habían dado los de la Unidad Respiratoria para que me explicara y... terminamos riéndonos".

Y justo allí y en ese momento, mientras disfrutaba de las miradas de incredulidad y asombro de Hijo&Hija, que decían algo como "mentira, no lo puedo creer", y a la vez extasiada en sus luminosas y perfectas sonrisas, que mostraban una gran paz y alegría, me dije: *"Ok, Mí Misma, ahora sí, aquí tienes TU MILAGRO".*

MI ALGO EXTRA

"Deja ya de estar rezando y ¡dándote golpes en el pecho! Lo que quiero que hagas es que salgas al mundo a disfrutar de tu vida. Quiero que goces, que cantes, que te diviertas y que disfrutes de todo lo que he hecho para ti.

Deja ya de ir a esos templos lúgubres, obscuros y fríos que tú mismo construiste y que dices que son mi casa. Mi casa está en las montañas, en los bosques, los ríos, los lagos, las playas. Ahí es en donde vivo y ahí expreso mi amor por ti.

Deja ya de culparme de tu vida miserable; yo nunca te dije que había nada mal en ti o que eras un pecador, o que tu sexualidad fuera algo malo. El sexo es un regalo que te he dado y con el que puedes expresar tu amor, tu éxtasis, tu alegría. Así que no me culpes a mí por todo lo que te han hecho creer.

Deja ya de estar leyendo supuestas escrituras sagradas que nada tienen que ver conmigo. Si no puedes leerme en un amanecer, en un paisaje, en la mirada de tus amigos, en los ojos de tu hijito... ¡No me encontrarás en ningún libro!

Confía en mí y deja de pedirme. ¿Me vas a decir a mí como hacer mi trabajo?

Deja de tenerme tanto miedo. Yo no te juzgo, ni te crítico, ni me enojo, ni me molesto, ni castigo. Yo soy puro amor.

Deja de pedirme perdón, no hay nada que perdonar. Si yo te hice... yo te llené de pasiones, de limitaciones, de placeres, de sentimientos, de necesidades, de incoherencias... de libre albedrío,

¿cómo puedo culparte si respondes a algo que yo puse en ti? ¿Cómo puedo castigarte por ser como eres, si yo soy el que te hice? ¿Crees que podría yo crear un lugar para quemar a todos mis hijos que se porten mal, por el resto de la eternidad? ¿Qué clase de Dios puede hacer eso?

Olvídate de cualquier tipo de mandamientos, de cualquier tipo de leyes; esas son artimañas para manipularte, para controlarte, que sólo crean culpa en ti. Respeta a tus semejantes y no hagas lo que no quieras para ti. Lo único que te pido es que pongas atención a tu vida, que tu estado de alerta sea tu guía.

Amado mío, esta vida no es una prueba, ni un escalón, ni un paso en el camino, ni un ensayo, ni un preludio hacia el paraíso. Esta vida es lo único que hay aquí y ahora y lo único que necesitas. Te he hecho absolutamente libre, no hay premios ni castigos, no hay pecados ni virtudes, nadie lleva un marcador, nadie lleva un registro. Eres absolutamente libre para crear en tu vida un cielo o un infierno.

No te podría decir si hay algo después de esta vida, pero te puedo dar un consejo. Vive como si no lo hubiera. Como si esta fuera tu única oportunidad de disfrutar, de amar, de existir. Así, si no hay nada, pues habrás disfrutado de la oportunidad que te di. Y si lo hay, ten por seguro que no te voy a preguntar si te portaste bien o mal, te voy a preguntar ¿Te gustó?... ¿Te divertiste? ¿Qué fue lo que más disfrutaste? ¿Qué aprendiste?...

Deja de creer en mí; creer es suponer, adivinar, imaginar. Yo no quiero que creas en mí, quiero que me sientas en ti. Quiero que me sientas en ti cuando besas a tu amada, cuando arropas a tu hijita, cuando acaricias a tu perro, cuando te bañas en el mar.

Deja de alabarme, ¿Qué clase de Dios ególatra crees que soy? Me aburre que me alaben, me harta que me agradezcan. ¿Te sientes agradecido? Demuéstralo cuidando de ti, de tu salud, de tus relaciones, del mundo. ¿Te sientes observado, sobrecogido?... ¡Expresa tu alegría! Esa es la forma de alabarme.

Deja de complicarte las cosas y de repetir como perico lo que te han enseñado acerca de mí. Lo único seguro es que estás aquí, que estás vivo, que este mundo está lleno de maravillas. ¿Para qué necesitas más milagros? ¿Para qué tantas explicaciones? No me busques afuera, no me encontrarás. Búscame dentro... ahí estoy, latiendo en ti".

– Baruch de Spinoza.

Made in United States
Orlando, FL
09 May 2022

17685938R00107